Um homem chamado Jesus

Sumário

No ano 30, o Império Romano já existia havia 780 anos e abrangia todas as terras ao redor do Mediterrâneo, desde a Espanha e Galácia até o Egito e a Síria.
França
Espanha
Grécia
Roma
Itália
Síria
África
Palestina
Jerusalém
No palácio do governador romano Pilatos, comandante das forças de ocupação,...
... localizadas em Jerusalém, capital da Judéia, na Palestina, pertencente à província romana da Síria.
Capitão, alguma novidade?
Governador, vi uma multidão junto ao rio Jordão, onde certo João Batista prega. Dizem que é profeta...
Ele batiza e fala sobre a vinda de um novo líder chamado Messias.
Hum... mais um líder que tentará nos expulsar...
Não é o primeiro. Ninguém jamais conseguiu nos expulsar.
Os judeus são especiais...
É o único povo que não pode ser contrariado... e o Imperador Tiberius está cedendo à pressão. Quando decorei esse palácio com pinturas em ouro de nossos deuses, ele ordenou que as removesse.

Para eles significa profanar sua cidade santa. Qualquer imagem de seu Deus é proibida. Todos os símbolos de nosso império são
considerados blasfemos. Por isso, reclamaram com Tiberius e foram atendidos!
São pessoas difíceis de governar, e esse é exatamente meu papel aqui.
É verdade. Em todo o Império, somente eles estão desobrigados de adorar nossos deuses.
Não trabalham aos sábados. Consideram-se o povo escolhido por Deus, e por isso não permitem gentios em seu templo.
Ah, o templo. Que pesadelo quando duzentos mil peregrinos chegam para as festas. É preciso cuidado, pois, antes que se perceba, eles podem iniciar uma revolta.
Estamos atentos. Evitaremos qualquer problema a tempo.
Certo, capitão. Fique de olho em João Batista e mantenha-me informado.
Irei pessoalmente.
Sei que as autoridades judaicas também estão preocupadas.

Mateus 3:1-17

Enquanto eles ainda estavam morando em Nazaré, João Batista começou a pregar no deserto da Judéia. Seu assunto constante era: Abandonem os seus pecados... voltem-se para Deus... porque o Reino dos Céus está para chegar logo. O profeta Isaías tinha falado sobre o ministério de João séculos antes! Ele tinha escrito: "Eu ouço um clamor que vem do deserto dizendo: 'Preparem uma estrada para o Senhor – endireitem o caminho por onde Ele andará'." A roupa de João era feita de pêlo de camelo; ele usava também um cinto de couro, comia gafanhotos e mel do campo. O povo de Jerusalém, de todo o Vale do Jordão e de cada

região da Judéia, saía ao deserto para ouvir João pregar. E quando eles confessavam os seus pecados, ele batizava todos no rio Jordão. Mas quando ele viu muitos fariseus e saduceus vindo para serem batizados, denunciou todos eles: "Filhos de serpentes!" advertiu-os ele. "Quem

disse que vocês poderiam escapar da futura ira de Deus? Antes de serem batizados, provem que vocês abandonaram o pecado, praticando obras dignas. Não tentem escapar assim, pensando: 'Nós estamos salvos, porque somos judeus – somos descendentes de Abraão!' Isso não prova nada! Deus pode até mudar estas pedras aqui em judeus! E agora mesmo o machado do julgamento de Deus está levantado para derrubar cada árvore que não produz. Elas serão derrubadas e queimadas.

Eu batizo com água aqueles que se arrependem dos seus pecados; mas está vindo um Outro, muito maior do que eu, tão grande que eu não sou digno de carregar seus calçados! Ele batizará vocês com o Espírito Santo e com fogo. Ele separará a palha do grão; queimará a palha com fogo que nunca vai se apagar, e guardará o grão". Então Jesus foi da sua casa na Galiléia ao rio Jordão, para lá ser batizado por João. João não queria fazer isso. "Isso não está bem", dizia ele. "Eu é

que preciso ser batizado pelo Senhor". Mas Jesus disse: "Batiza-me, por favor, porque Eu devo fazer tudo o que é certo". Então João o batizou. Depois do seu batismo, logo que Jesus saiu da água, os céus se abriram e Ele viu o Espírito de Deus descendo na forma duma pomba. Uma voz do céu disse: "Este é o meu Filho amado, em quem tenho toda alegria".

Lucas 1:26-38

No sexto mês Deus mandou o anjo Gabriel a Nazaré, uma vila da Galiléia, a uma virgem, Maria, prometida em casamento a um homem chamado José, da família do rei Davi. Gabriel apareceu a ela e disse: "Parabéns, jovem favorecida! O Senhor está com você!" Confundida e perturbada, Maria tentava imaginar o que poderia ser que o anjo quis dizer. "Não se assuste, Maria", disse-lhe o anjo, "porque Deus resolveu abençoá-la maravilhosamente! Muito em breve você ficará grávida, terá um menino, e lhe dará o nome de 'Jesus'. Ele será muito importante, sendo chamado o Filho de Deus, e o Senhor Deus lhe dará o trono do seu antepassado Davi. Ele reinará sobre Israel para sempre, e o seu Reino nunca acabará!" Maria perguntou ao anjo: "Mas como posso ter um filho? Eu sou uma virgem". O anjo respondeu: "O Espírito Santo virá sobre você e o poder de Deus a cobrirá com a sua sombra; por isso a criança que vai nascer de você será completamente santa – o Filho de Deus. Além disso, há seis meses sua prima Isabel – 'a sem filhos', como a chamavam – ficou grávida

em sua avançada idade! Sim, porque todas as promessas de Deus se cumprirão fielmente". Maria disse: "Eu sou a serva do Senhor, e estou pronta a fazer tudo quanto for necessário. Que aconteça tudo o que o Senhor me disse". Então o anjo desapareceu.

Lucas 1:39-64

Uns poucos dias mais tarde Maria foi às pressas às terras montanhosas da Judéia, ao lugar onde Zacarias morava, para visitar Isabel. Ao soar a saudação de Maria, a criança de Isabel saltou dentro dela, e ela ficou cheia do Espírito Santo. Isabel deu um grito de alegria e exclamou para Maria: "Você é abençoada por Deus acima de todas as outras mulheres, e o seu Filho também é bendito. Que grande honra é esta: que a mãe

do meu Senhor me visite! Quando você entrou e me cumprimentou, no momento em que ouvi sua voz, de alegria a minha criança moveu-se dentro de mim! Você creu que Deus faria o que disse; e por isso é que Ele deu-lhe esta maravilhosa bênção". Maria respondeu: "Oh, como eu louvo ao Senhor! Quanto me alegro em Deus, meu Salvador! Porque Ele prestou atenção na sua humilde serva, e agora todas as gerações me chamarão bendita de Deus. Pois Ele, o Santo e cheio de poder, fez grandes coisas comigo. Sua misericórdia vai de geração em geração, a todos os que o respeitam. Como o seu braço é cheio de poder! Como Ele derrota os orgulhosos e os arrogantes! Derrubou

príncipes dos seus tronos e exaltou os humildes. Satisfez os corações famintos e despediu os ricos com as mãos vazias. E como socorreu o seu servo Israel! Não esqueceu sua promessa de ser misericordioso, pois prometera aos nossos pais – Abraão e seus filhos –

ser misericordioso com eles para sempre". Maria ficou com Isabel cerca de três meses e depois voltou para casa. Nisso a espera de Isabel chegou ao fim, porque veio a hora de a criança nascer – e era um menino. A notícia de como o Senhor havia sido bondoso com ela espalhou-se depressa pelos vizinhos e parentes, e todo mundo ficou alegre. Quando a criança estava com oito dias de idade, todos os parentes e amigos vieram para a cerimônia da circuncisão. Julgavam que o nome da criança seria Zacarias, como o pai. Mas Isabel disse: "Não!

Ele deverá chamar-se João!" "Quê!" exclamaram eles. "Não há ninguém em toda a sua família com esse nome". Portanto, perguntaram ao pai da criança, falando-lhe por gestos. Ele pediu por sinais um pedaço de papel e, para surpresa de todo mundo, escreveu: "O nome dele é João!" Imediatamente Zacarias pôde falar novamente, e começou a louvar a Deus.

Mateus 1:18-25

Eis os fatos relativos ao nascimento de Jesus Cristo: Maria, sua mãe, estava comprometida para casar-se com José. Mas enquanto ela ainda era virgem, ficou grávida pelo Espírito Santo. Então José, seu noivo, sendo um homem de princípios rígidos, decidiu romper o noivado, mas em segredo, porque não queria desmoralizar Maria publicamente. Ele estava deitado em vigília pensando nisso, depois dormiu e teve um sonho e viu um anjo de pé ao seu lado. "José, filho de Davi", disse o anjo, "não tenha dúvidas em tomar Maria como sua esposa, pois a criança que está no seu ventre foi concebida pelo Espírito Santo.

E ela terá um Filho, que será chamado Jesus (Salvador), porque Ele salvará o seu povo dos pecados deles. Isto dará cumprimento à mensagem de Deus pelos seus profetas. Escutem! A virgem conceberá uma criança! Ela dará à luz um Filho, que será chamado 'Emanuel' ('Deus está conosco')". Quando José acordou, fez como o anjo tinha mandado, e trouxe Maria para casa como sua esposa. Porém ela permaneceu virgem até seu filho nascer; e José deu-lhe o nome de "Jesus".

Lucas 2:1-20

Por esse tempo César Augusto, o imperador, decretou que se fizesse um recenseamento de toda a nação. (Este recenseamento foi feito quando Quirino era governador da Síria.) Exigia-se que todo mundo voltasse à sua terra natal para se registrar. E como José era da antiga família real, teve de ir a Belém, na Judéia, terra natal do rei Davi – viajando de Nazaré, na Galiléia, para lá. Ele levou consigo Maria, sua esposa, que estava grávida. Estando ali, chegou a hora de nascer o filho dela; e ela deu à luz seu primeiro filho, um menino.

Enrolou-o num cobertor e o deitou numa manjedoura, porque não havia lugar para eles na hospedaria da aldeia. Naquela noite alguns pastores estavam nos campos, guardando seus rebanhos de ovelhas. De repente um anjo apareceu entre eles, e ficaram cercados do brilho da glória do Senhor. Eles ficaram muito atemorizados, mas o anjo os acalmou. "Não tenham medo!" disse ele. "Eu lhes trago a notícia mais alegre que já se deu, e isso é para todo o mundo! O Salvador – sim, o Messias, o Senhor –nasceu esta noite em Belém! Como vocês vão reconhecê-lo? Vocês encontrarão uma criancinha enrolada num cobertor, deitada numa manjedoura!" De repente, juntou-se ao anjo uma

grande multidão de outros anjos – o exército celestial – louvando a Deus: "Glória a Deus nas maiores alturas", cantavam "eles, e paz na terra para todos aqueles que o agradam". Quando os anjos voltaram para os céus, os pastores disseram uns aos outros: "Vamos! Vamos a Belém! Vamos ver esta coisa maravilhosa que aconteceu, a respeito da qual o Senhor nos falou". Eles correram à aldeia, encontraram Maria e José, e lá estava a criancinha, deitada na manjedoura. Os pastores falavam a todo mundo o que havia acontecido, e o que o anjo lhes havia dito a respeito daquela criança. Todos os que ouviam a história dos pastores mostravam admiração. Porém Maria tranqüilamente guardava estas coisas em seu coração e muitas vezes pensava nelas.Então os pastores voltaram aos seus campos e rebanhos, glorificando e louvando a Deus pela visita do anjo, e porque tinham visto a criança, assim como o anjo havia dito.

Lucas 2:22-35

Quando chegou o tempo de ser levada ao templo a oferta da purificação de Maria, como as leis de Moisés exigiam depois do nascimento de uma criança, seus pais o levaram a Jerusalém para apresentá-lo ao Senhor; porque as leis de Deus diziam: "Se o primeiro filho de uma mulher for um menino, ele será dedicado ao Senhor". Nessa ocasião os pais de Jesus ofereceram também o sacrifício deles pela purificação: "um par de rolinhas, ou dois filhotes de pombo", era a exigência mínima legal. Naquele dia um homem chamado Simeão, morador de Jerusalém, estava no templo. Era ele um homem bom, muito devoto, cheio do Espírito Santo, e vivia esperando que o Messias viesse em breve. Pois o Espírito Santo lhe havia revelado que ele não morreria enquanto não visse o Cristo prometido por Deus. O Espírito Santo o impulsionou a ir ao templo naquele dia; então, quando Maria e José chegaram para apresentar o menino Jesus

ao Senhor, em obediência à lei, Simeão estava lá e tomou a criança nos braços, louvando a Deus. "Senhor", disse ele, "agora eu posso morrer em paz! Pois eu o vi como o Senhor me prometeu que eu veria. Eu vi o Salvador que o Senhor prometeu dar ao mundo. Ele é a luz que dará iluminação espiritual às nações, e será a glória do seu povo Israel". José e Maria, parados ali junto, admiravam-se do que se dizia a respeito de Jesus. Simeão os abençoou, mas disse depois a Maria: "Uma espada atravessará a sua alma, porque esta criança será rejeitada por muitos em Israel, e isto para própria destruição deles. Ele será motivo de contradição, mas uma grande alegria para outros. E os pensamentos mais profundos de muitos corações serão revelados".

Mateus 2:1-12

Jesus nasceu na cidade de Belém, na Judéia, durante o reinado do rei Herodes. Por aquele tempo, alguns sábios das terras do Oriente chegaram a Jerusalém, perguntando: "Onde está o Rei dos Judeus recém-nascido? Pois nós vimos a sua estrela nas distantes terras do Oriente, e viemos adorar o Menino". O rei Herodes ficou muitíssimo perturbado com a pergunta deles, e Jerusalém inteira ficou cheia de rumores. Ele convocou uma reunião dos líderes religiosos dos judeus. "Os profetas

nos informaram onde o Messias nasceria?" perguntou.. "Sim, em Belém", disseram eles, "porque isto é o que o profeta Miquéias escreveu: Ó pequena cidade de Belém, você não é uma vila judaica sem importância, porque o Rei será levantado daí para dirigir o meu povo de Israel". Então Herodes mandou um recado secreto aos sábios, pedindo que viessem falar com ele; nessa reunião, obteve deles a época exata em que viram a estrela

Os dias passam e Herodes espera pelos sábios...

Após o exílio no Egito, José e Maria voltaram a Nazaré, na Galiléia. Lá, Jesus cresceu e adquiriu sabedoria, ao mesmo tempo em que era obediente aos pais. Quando tinha 30 anos, foi a João Batista para que fosse batizado.

pela primeira vez. Disse ele: "Vão a Belém e procurem o menino. E quando o encontrarem, voltem e me digam para que eu possa ir adorá-lo também!" Depois deste encontro os sábios puseram-se a caminhar outra vez. Então a estrela apareceu-lhes novamente, sobre Belém. E vendo a estrela, a alegria deles foi enorme! Entrando na casa onde estavam o menino e Maria, sua mãe, eles se ajoelharam diante dele, para adorar. Então abriram seus presentes e lhe deram ouro, incenso e mirra.

Mas quando voltaram para a sua terra, eles não foram por Jerusalém para contar a Herodes, porque Deus lhes tinha avisado num sonho que voltassem por outro caminho.

João 1:35-42

No outro dia, quando João se achava com dois dos seus seguidores, Jesus passou. João olhou atentamente para Ele e então declarou:

"Vejam! Aí está o Cordeiro de Deus!" Então os dois seguidores de João voltaram-se e seguiram a Jesus! Jesus olhou em volta e viu os dois seguindo atrás dele. "Que querem?" perguntou-lhes. "Senhor", responderam, "onde mora?" "Venham ver", disse Ele. Então eles o acompanharam ao lugar onde Ele estava morando e ficaram com Ele das quatro horas da tarde, mais ou menos, até o anoitecer. (Um destes homens era André, irmão de Simão Pedro). André foi então procurar seu irmão Pedro e lhe disse: "Nós encontramos o Messias!" E trouxe Pedro para conhecer Jesus. Jesus olhou fixamente para Pedro por um momento e depois disse: "Você é Simão, filho de João – mas será chamado Pedro, a pedra!"

João 2:1-11

Dois dias depois a mãe de Jesus foi convidada para um casamento na aldeia de Caná da Galiléia. Jesus e seus seguidores também foram convidados à festa. Durante a festa o vinho acabou, e a mãe de Jesus veio a Ele com o problema. "Eu não posso ajudar agora", disse Ele. "Ainda não é a minha hora de fazer milagres". Todavia, a mãe dele disse aos criados: "Façam tudo o que Ele disser a vocês". Achavam-se ali seis talhas de pedra para água; eram utilizadas nas cerimônias dos

judeus, e em cada uma cabiam de 80 a 120 litros. Então Jesus pediu aos criados que enchessem as talhas de água até em cima. Quando isso foi feito, Ele disse: "Tirem um pouco e levem ao mestre de cerimônias". Quando o mestre de cerimônias experimentou a água, que já tinha virado vinho, não sabendo de onde trouxeram (embora os criados soubessem), chamou o noivo. "Isto é coisa muito boa!" disse ele. "O senhor é diferente de todos os outros!

Geralmente o dono da festa gasta primeiro o vinho melhor, e depois, quando todo mundo está satisfeito e não se importa mais, distribui o vinho barato. Mas o senhor guardou o melhor para o fim!" Este milagre em Caná da Galiléia foi a primeira demonstração pública, dada por Jesus, do seu poder enviado do céu. E os seguidores creram que Ele realmente era o Messias.

Lucas 4:38-40

Depois de deixar a sinagoga naquele dia, Ele foi para a casa de Simão, onde encontrou a sogra de Simão muito doente, com febre alta. "Tenha a bondade de curá-la", suplicavam todos. Chegando ao lado dela, Ele falou à febre, repreendendo-a, e imediatamente sua temperatura voltou ao normal; e ela se levantou e preparou a comida para eles! Quando o sol se pôs naquela tarde, toda pessoa que tivesse algum doente em casa, o levava a Jesus; e o toque das suas mãos curava a todos!

Lucas 5:1-11

Um dia, quando Ele pregava na praia do Lago de Genesaré, grandes multidões estavam perto dele para ouvir a Palavra de Deus. Ele notou que se achavam na beira d'água dois barcos desocupados, enquanto os pescadores lavavam as redes. Entrando num dos barcos, Jesus pediu a Simão, seu dono, que o empurrasse um pouco para dentro d'água, a fim de que Ele pudesse sentar-se no barco e dali falar ao povo. Quando acabou de falar,

Jesus disse a Simão: "Agora saiam mais para o fundo e lancem as redes, que vocês vão pegar muitos peixes!" "Senhor", respondeu Simão, "nós trabalhamos durante a noite toda e não pegamos nada. Porém se o Senhor diz assim, vamos tentar novamente". E desta vez as redes ficaram tão cheias que começaram a romper-se! Um grito de auxílio trouxe os companheiros deles no outro barco e em breve os dois barcos estavam tão cheios de peixes, que quase afundaram. Quando Simão Pedro percebeu

o que havia acontecido, caiu de joelhos diante de Jesus e disse: "Ó Senhor, deixe-nos, por favor – eu sou pecador demais para andar ao seu lado". Pois ele assustou-se com o tamanho da pescaria, como também os outros que estavam com ele, inclusive seus sócios – Tiago e João, filhos de Zebedeu. Jesus respondeu: "Não se preocupe! De agora em diante você estará pescando as almas dos homens!" E logo que eles chegaram à terra, deixaram tudo e o seguiram.

A notícia dos seus milagres espalhou-se até além das fronteiras da Galiléia, de tal modo que começou a vir gente para ser curada, até mesmo de regiões distantes, como a Síria. Qualquer doença ou sofrimento que fosse – se estivessem possessos de demônios, se fossem loucos ou paralíticos – Ele curava a todos. Multidões enormes o seguiam aonde quer que Ele fosse – gente da Galiléia, das Dez Cidades, de Jerusalém, de toda a Judéia, e até do outro lado do rio Jordão.

Mateus 4:23-25

Jesus viajava pela Galiléia toda, ensinando nas sinagogas dos judeus, e pregando por toda parte as Boas Novas acerca do Reino dos Céus; ia curando toda espécie de mal e doença.

Lucas 5:12-14

Um dia, em certa aldeia que Ele estava visitando, havia um homem com um sério caso de lepra. Quando ele viu Jesus, caiu ao chão diante dele com o rosto em terra, suplicando que o curasse. "Senhor", dizia ele, "se tão-somente quiser, o Senhor pode limpar-me de qualquer vestígio da minha doença". Jesus estendeu a mão, tocou no homem e disse: "Claro que Eu quero. Seja curado". E a lepra o deixou no mesmo instante! Então Jesus ordenou-lhe que fosse imediatamente, sem contar a ninguém o que havia acontecido, para ser examinado pelo sacerdote judaico. "Vá oferecer o sacrifício que a lei de Moisés exige dos leprosos que são curados", disse Ele. "Isto provará a todo mundo que você está bom".

Mateus 9:9-13

Quando Jesus descia a estrada, viu um cobrador de impostos, Mateus, sentado num guichê da coletoria. “Venha tornar-se meu discípulo” disse-lhe Jesus, e Mateus saltou do lugar e o acompanhou. Mais tarde, quando Jesus e seus discípulos almoçavam (na casa de Mateus), muitos conhecidos espertalhões estavam lá como convidados! Os fariseus ficaram indignados. “Por que o mestre de vocês se reúne com homens como esses?” “Porque as pessoas que estão bem não precisam de médicos! São os doentes que precisam”, foi a resposta de Jesus. Depois Ele acrescentou: “Vão aprender o significado deste versículo da Escritura: ‘Não são os sacrifícios e as ofertas de vocês que me interessam – mas que tenham compaixão!’ Meu trabalho aqui na terra é de insistir com os pecadores e não com aqueles que se acham bons, que voltem para Deus”.

Marcos 2:1-12

Vários dias depois Ele voltou a Cafarnaum, e a notícia da sua chegada espalhou-se depressa pela cidade. Logo a casa onde Ele se achava ficou tão cheia de visitas que não havia espaço nem para mais uma pessoa, até do lado de fora. E Jesus pregava a Palavra a eles. Chegaram quatro homens carregando um paralítico numa esteira. Eles não podiam chegar até Jesus por causa da multidão, e por isso fizeram um

buraco no teto por cima de onde estava Jesus, e fizeram descer o homem doente na esteira bem na frente de Jesus. Quando Jesus viu como eles acreditavam tão intensamente que Ele socorreria o amigo deles, disse ao doente: "Filho, os seus pecados estão perdoados!" Mas alguns dos líderes religiosos judaicos que estavam sentados ali diziam entre si: "Quê? Isto é uma blasfêmia! Ele acha que é Deus? Pois só Deus pode perdoar pecados". Jesus pôde ler a mente deles e lhes disse logo: "Por que isso está perturbando vocês? Eu, o Messias, tenho

autoridade na terra para perdoar pecados. Mas, falar é fácil – qualquer um poderia afirmar isso. Porém, Eu posso provar o que estou dizendo, curando este homem". Então, voltando-se para o paralítico, ordenou-lhe: "Você está curado. Pegue sua esteira e vá embora para casa!" O homem levantou-se de um salto, enrolou a esteira, e abriu caminho através dos presentes cheios de espanto! Então, como eles louvaram a Deus! "Nunca vimos nada igual!" exclamavam todos.

Lucas 7:36-50

Um dos fariseus pediu a Jesus que fosse almoçar em sua casa, e Jesus aceitou o convite. Quando eles se acomodaram para comer, uma mulher da rua – uma prostituta – soube que Ele estava lá e trouxe um delicado vidro cheio de perfume caro. Entretanto, ela se ajoelhou atrás dele, chorando, até que os pés dele ficaram molhados com as lágrimas dela. Depois ela os enxugou com os cabelos, e os beijou, derramando o perfume sobre eles. Quando o dono da casa, que era fariseu, viu o que estava acontecendo e quem era a mulher, disse consigo mesmo: "Isto prova que Jesus não é profeta nenhum, porque se Deus

realmente o tivesse mandado, Ele saberia que espécie de mulher é esta!" Então Jesus falou e respondeu aos pensamentos dele. "Simão", disse Ele ao fariseu, "Eu tenho algo para dizer-lhe". "Pois não, Mestre", respondeu Simão, "diga". Então Jesus contou-lhe esta história: "Um homem emprestou dinheiro a duas pessoas – quinhentas moedas a uma e cinqüenta a outra. Porém nenhuma das duas podia pagar-lhe, então ele generosamente perdoou a ambas, deixando-as ficar com o dinheiro! Qual você pensa que o amava mais depois disto?" "Eu acho que aquela pessoa que lhe devia mais", respondeu Simão.

"Certo", concordou Jesus. Então Ele voltou para a mulher e disse a Simão: "Olhe! Veja esta mulher ajoelhada aqui! Quando Eu entrei na sua casa, você não se deu ao trabalho de me oferecer água para lavar a poeira dos pés, porém ela os lavou com suas lágrimas e os enxugou com os cabelos! Você deixou de me dar o costumeiro beijo de saudação, porém ela beijou meus pés diversas vezes desde a hora em que Eu entrei aqui. Você se esqueceu da cortesia comum de colocar óleo em minha cabeça, porém ela me cobriu os pés com um perfume raro. Portanto, os pecados dela – que são muitos – estão perdoados, pois ela me amou muito; mas aquele a quem pouco é perdoado, mostra pouco amor". Ele disse à mulher: "Os seus pecados estão perdoados". Então os homens que estavam à mesa disseram consigo mesmos: "Quem este homem pensa que é, andando por aí a perdoar pecados?" E Jesus disse à mulher: "A sua fé salvou você; vá em paz."

Lucas 7:11-17

Não passou muito tempo depois disto e Jesus foi com os seus discípulos à aldeia de Naim, sendo acompanhados pela grande multidão de sempre. Quando Ele se aproximou do portão da aldeia, estava saindo um enterro. O rapaz que havia morrido era o único filho de sua mãe viúva, e grande multidão da aldeia estava com ela. Quando Jesus a viu, o coração dele encheu-se de compaixão. "Não chore!" disse. E indo até o caixão, tocou nele, e os carregadores pararam. "Jovem", disse Ele, "volte a viver novamente". Então o rapaz sentou-se e começou a falar com aqueles que estavam ao seu redor! E Jesus o entregou à mãe. Todos ficaram com muito medo, e glorificavam a Deus, dizendo: "Um poderoso profeta levantou-se entre nós", e: "Vimos a mão de Deus agindo hoje".

João 6:1-15

Depois disso, Jesus atravessou o Mar da Galiléia, conhecido também como o Mar de Tiberíades. E uma enorme multidão, muitos deles eram peregrinos a caminho de Jerusalém para a comemoração anual da Páscoa, o estava seguindo a todos os lugares aonde Ele ia, para verem a cura dos doentes. Portanto, quando Jesus subiu ao monte e sentou-se com os seus seguidores em volta, logo viu uma grande multidão de pessoas que subiam o monte, procurando por Ele. Voltando-se para Filipe, perguntou: "Filipe, onde poderemos comprar pão para alimentar toda essa gente?" (Ele estava experimentando Filipe, porque já sabia o que ia fazer.) Filipe respondeu: "Seria preciso uma fortuna, só para começar!" Então André, irmão de Simão Pedro, falou: "Aqui está um rapaz com cinco pães de cevada e dois peixes! Mas que adianta isto para toda esta multidão?" "Digam que todo mundo se sente", ordenou Jesus. E todos eles – só os homens eram aproximadamente 5.000 – sentaram-se no chão gramado da montanha.

E assim Jesus tomou os pães, deu graças a Deus e os entregou ao povo. Depois disso fez o mesmo com os peixes. E todo mundo comeu até ficar satisfeito! "Agora juntem as sobras", disse Jesus aos seus seguidores, "para que não se perca nada". E encheram 12 cestos com as sobras! Quando o povo percebeu que grande milagre havia acontecido, exclamou: "Não há dúvida, este é o Profeta que estávamos esperando!" Jesus viu que eles estavam prontos para fazer com que Ele fosse o rei deles, e por isso subiu sozinho ainda mais alto nas montanhas.

Mateus 16:13-17

Quando Jesus chegou a Cesaréia de Filipe, perguntou aos seus discípulos: "Quem é que o povo está dizendo que Eu sou?" "Bem", responderam, "alguns dizem que o Senhor é João Batista; outros, que é Elias; outros, que é Jeremias ou um dos outros profetas". Então Ele perguntou-lhes: "E vocês, quem pensam que Eu sou?" Simão Pedro respondeu: "O Cristo, o Messias, o Filho do Deus vivo". "Deus abençoou você, Simão, filho de Jonas", disse Jesus, "porque meu Pai do Céu revelou isto pessoalmente a você – isto não vem de nenhuma fonte humana".

Mateus 20:20-23

Nisso a mãe de Tiago e João, filhos de Zebedeu, trouxe os dois a Jesus, inclinou-se e pediu um favor. "Qual é o seu pedido?" perguntou Ele. Ela respondeu: "Permitirá que, no seu Reino, os meus dois filhos se sentem em dois

tronos próximos do seu?" Mas Jesus lhe disse: "Vocês não sabem o que estão pedindo!" Então voltou-se para Tiago e João, e perguntou-lhes: "Vocês são capazes de beber do terrível cálice do qual Eu vou logo beber?" "Sim", responderam, "somos capazes!" "É certo que vocês beberão dele", disse Ele. "Mas Eu não tenho direito nenhum de dizer quem sentará nos tronos perto do meu. Estes lugares estão reservados para as pessoas que meu Pai escolher".

Mateus 16:21-23

Daí em diante, Jesus começou a falar claramente aos seus discípulos sobre a ida a Jerusalém, e o que aconteceria a Ele por lá – que Ele sofreria nas mãos dos líderes dos judeus, que seria morto, e que três dias depois seria levantado novamente para a vida. Mas Pedro levou Jesus a um lado para censurá-lo. "Deus não permita isso, Senhor", disse ele. "Isso não lhe acontecerá!" Jesus voltou-se para Pedro e disse: "Afaste-se de mim, Satanás! Você é uma armadilha perigosa para mim. Você está pensando apenas do ponto de vista humano, e não do ponto de vista de Deus".

Mateus 4:1-11

Então Jesus foi depois conduzido pelo Espírito Santo ao deserto, para lá ser tentado por Satanás. Durante quarenta dias e quarenta noites, Ele não comeu nada e ficou com muita fome. Então Satanás tentou Jesus sugerindo: "Se Você conseguir transformar estas pedras em pães, provará que é o Filho de Deus", disse ele. Mas Jesus respondeu: "As Escrituras nos dizem que o pão não saciará a alma dos homens; o que nós precisamos é obedecer a todas as palavras de Deus". Então Satanás o levou a Jerusalém, para o telhado do templo. "Salte daí", disse ele, "e prove que é o Filho de Deus; porque as Escrituras declaram: 'Deus enviará seus anjos para impedirem que se machuque'...

eles impedirão Você de despedaçar-se nas pedras lá embaixo". Jesus replicou: "Porém as Escrituras também dizem que não se deve impor ao Senhor Deus uma prova absurda!" A seguir, Satanás levou Jesus ao alto duma montanha muito alta e mostrou-lhe as nações do mundo e toda a glória delas. "Eu lhe darei tudo isso", disse ele, "se Você apenas ajoelhar-se e me adorar". "Saia daqui, Satanás", disse-lhe Jesus. "As Escrituras ordenam: 'Adore somente ao Senhor Deus. Obedeça somente a Ele'." "Então Satanás foi-se embora, e os anjos vieram e cuidaram de Jesus.

Mateus 17:1-8

Seis dias depois Jesus levou Pedro, Tiago e seu irmão João para cima de um monte alto e solitário, e enquanto eles observavam, o seu aspecto mudou de tal maneira que seu rosto brilhava como o sol e suas roupas tornavam-se tão brancas que faziam doer a vista. De repente Moisés e Elias apareceram e falavam com Ele. Pedro disse: "Senhor, é maravilhoso que nós possamos estar aqui! Se o Senhor quiser, eu farei três abrigos: um para o Senhor, outro para Moisés e outro para Elias". Mas assim que ele disse isso, uma nuvem brilhante veio sobre eles, e uma voz da nuvem disse: "Este é o meu Filho amado, em quem tenho muita alegria. Obedeçam a Ele". Com isso os discípulos caíram ao chão com o rosto em terra, tremendamente assustados. Jesus veio e os tocou. "Levantem-se", disse Ele, "não tenham medo". E quando eles olharam, só Jesus estava com eles.

Impressionante o que vimos no monte. De fato, Jesus é maior que Moisés e Elias.
Sim. Eles prepararam a vinda de Jesus.
Ouvi a voz do céu que dizia: "Jesus é meu Filho amado".
Vi o mesmo, João. Ele é o Filho de Deus!
Pedro, ouvi quando disse que poderíamos fazer três abrigos. Para Jesus, Moisés e Elias.
Não digam a ninguém o que viram, até que eu ressuscite.
Não entendo, mas conte comigo.
Tiago, João e Pedro, confiem. Deus está conosco!
Vamos logo para Jerusalém!

Mateus 21:1-17

Quando Jesus e os discípulos se aproximavam de Jerusalém, e estavam perto da cidade de Betfagé no Monte das Oliveiras, Jesus enviou dois deles na frente até à vila. "Logo ao entrar", disse Ele, "vocês verão uma jumenta amarrada ali, com sua cria ao lado. Desamarrem as duas e tragam para cá. E se alguém perguntar o que estão fazendo, digam apenas: 'O Mestre precisa deles', e não haverá dificuldade". Isto foi feito para cumprir a antiga profecia: "Digam a Jerusalém que o seu Rei vem a ela, montado humildemente num jumentinho!" Os dois discípulos fizeram

como Jesus disse. Trouxeram os animais, e puseram suas roupas em cima do jumentinho, para que Ele montasse. Alguns da multidão punham seus casacos ao longo da estrada à frente dele, e outros cortavam ramos das árvores e espalhavam diante dele. Então o povo seguia na frente e acompanhava por trás, gritando: “Deus abençoe o Filho do Rei Davi!”... “Louvem a Deus!”... “O Homem de Deus está aqui!”... “Abençoa-o, Senhor!” Toda a cidade de Jerusalém ficou agitada quando Ele entrou. “Quem é este?” perguntavam. E o povo

respondia: "É Jesus, o profeta de Nazaré da Galiléia". Jesus entrou no templo, expulsou os negociantes, e derrubou as barracas dos que vendiam pombos. "As Escrituras dizem que o

Não vê como as crianças estão zoando! Não vai fazer nada? Respeitem o templo!
Respeitar?
É um escândalo o que vocês fizeram com o templo!

meu templo é um lugar de oração", declarou Ele, "mas vocês o transformaram num covil de ladrões". Enquanto isso os cegos e aleijados vinham a Ele, e eram curados ali no templo. Mas quando os principais sacerdotes e outros líderes dos judeus viram aqueles maravilhosos milagres, e ouviram até as criancinhas gritando no templo: "Viva o Filho de Davi", ficaram perturbados e revoltados, e perguntaram a Ele: "Está ouvindo o que estas crianças dizem?" "Sim", respondeu Jesus. "Vocês nunca leram as Escrituras? Pois elas dizem: 'Até as criancinhas o louvarão!'" Então Ele voltou para Betânia, onde passou a noite.

Certamente era uma parábola. Jesus se referia a seu corpo, o novo templo de Deus. Destruído, assassinado, ele ressuscitaria 3 dias depois. Só depois da ressurreição isso ficou claro aos discípulos.

João 11:47-50

Então os sacerdotes principais e os fariseus convocaram uma reunião do Conselho para discutir a situação. "Que vamos fazer?" perguntavam uns aos outros, "pois este homem, evidentemente faz milagres. Se nós o deixarmos em paz, a nação inteira irá atrás dele e então o exército romano virá para nos matar e tomar conta do governo judaico". Então um deles, Caifás, que era o supremo sacerdote naquele ano, disse: "Vocês não sabem coisa alguma! – Que morra só esse homem pelo povo – por que morreria a nação inteira?"

Mateus 26:3-5, 14-16

Naquele exato momento, os sacerdotes principais e outros oficiais dos judeus estavam reunidos na residência de Caifás, o supremo sacerdote, para discutir meios de prender Jesus sem o povo saber, e matá-lo. "Mas não durante a celebração da Páscoa", concordaram eles, "porque assim haveria uma revolta". Então Judas Iscariotes, um dos doze discípulos, foi aos sacerdotes principais, e perguntou: "Quanto vocês me pagarão para eu pôr Jesus nas suas mãos?" E eles lhe deram trinta moedas de prata. Daquela hora em diante, Judas procurava uma oportunidade de entregar Jesus a eles.

Lucas 22:7-12

Ora, chegou o dia da comemoração da Páscoa, quando o cordeiro da festa era morto e comido com o pão sem fermento. Então Jesus mandou Pedro e João na frente, para procurarem um

lugar onde preparar a refeição da Páscoa para eles. "Aonde o Senhor quer que a gente vá?" perguntaram eles. Ele respondeu: "Logo que vocês entrarem em Jerusalém, verão um homem que vai andando e carregando um pote d'água. Sigam esse homem até a porta em que ele entrar. E digam ao dono da casa: 'O nosso Mestre pediu que nos mostre a sala para hóspedes onde Ele poderá comer a refeição da Páscoa com os seus discípulos'. Ele levará vocês ao andar superior, a um aposento espaçoso todo preparado para nós. Aquele é o lugar. Preparem a refeição ali".

João 13:2-11, 21-30

Durante a ceia, o Diabo já havia inspirado Judas Iscariotes, filho de Simão, que aquela era a noite para ele executar o seu plano de trair Jesus. Jesus sabia que recebera do Pai todas as coisas, que tinha vindo de Deus e

voltaria para Deus. E como Ele amava aos seus discípulos! Assim foi que Ele se levantou da mesa da ceia, tirou o manto, enrolou uma toalha na cintura, derramou água numa bacia, e começou a lavar os pés dos discípulos, enxugando com a toalha que tinha à sua volta.Quando chegou a Simão Pedro, este lhe disse: "Mestre, o Senhor não deve estar lavando nossos pés assim!" Jesus respondeu: "Você não entende agora por que Eu estou fazendo isso; mais tarde entenderá". "Não", protestou Pedro. "O Senhor nunca lavará os meus pés!" "Mas se Eu não lavar, você não pode ser meu companheiro", respondeu Jesus. Simão Pedro exclamou: "Então, lave-me as mãos e a cabeça também – e não somente os pés!" Jesus respondeu: "Aquele que

tomou um banho completo só necessita lavar os pés para ficar totalmente limpo. Ora, vocês estão limpos – mas isto não é verdade a respeito de todos aqui". Pois Jesus sabia por quem seria traído. Era isso que Ele queria dizer quando falou: "Nem todos vocês estão limpos". Nisto, Jesus sentiu uma profunda tristeza de espírito e exclamou: "Sim, é verdade – um de vocês me trairá". Os discípulos olharam uns para os outros, tentando descobrir de quem Ele poderia estar falando. Como eu estava perto

de Jesus na mesa, como seu amigo mais íntimo, Simão Pedro me fez sinal para que perguntasse a Ele quem iria praticar uma coisa tão horrível. Então eu me virei e perguntei: "Quem é ele, Senhor?" Jesus me disse: "É aquele que Eu homenagear dando o pão mergulhado no molho". E em seguida, deu o pão a Judas, filho de Simão Iscariotes. Logo que Judas o comeu, Satanás entrou nele. Então Jesus disse: "Depressa – faça já". Nenhum dos outros à mesa soube o que Jesus quis dizer. Alguns pensavam que, como Judas era o que tomava conta do dinheiro deles, Jesus estava dizendo-lhe que fosse pagar a comida ou dar algum dinheiro aos pobres. Judas partiu imediatamente, mergulhando na noite.

Lucas 22:19-20

A seguir Ele pegou um pão; depois que deu graças a Deus, partiu-o e o deu aos discípulos, dizendo: "Isto é o meu corpo, entregue por vocês. Comam dele para se lembrarem de mim".

Após comer o pão, Jesus ergueu o cálice e deu graças.

Então diz:

Ao término da ceia, começaram a entoar as canções da páscoa.

Depois, saíram para Jerusalém.

Depois da ceia Jesus deu a eles outro cálice de vinho, dizendo: “Este vinho é o sinal do novo pacto de Deus para salvar vocês – um acordo garantido pelo sangue que Eu derramarei para comprar de volta as almas de vocês”.

E chegaram ao jardim do Getsêmani...

Marcos 14:26-72

Então eles cantaram um hino e saíram para o Monte das Oliveiras. "Todos vocês vão me abandonar", disse-lhes Jesus, porque Deus declarou por meio dos profetas: 'Eu matarei o Pastor, e as ovelhas se dispersarão'. Mas depois que Eu ressuscitar, irei para a Galiléia e lá me encontrarei com vocês". Pedro disse a Ele: "Eu nunca o abandonarei; não importa o que os outros façam!" "Pedro", disse Jesus, "antes que o galo cante a segunda vez nesta madrugada, você me negará três vezes". "Não!" explodiu Pedro. "Nem que eu tenha de morrer com o Senhor! Eu nunca o negarei!" E todos juraram o mesmo. Nisto eles chegaram a um bosque de oliveiras chamado o Jardim do Getsêmani,

Jesus levou os três discípulos com ele...

Jesus volta para seus discípulos em busca de conforto.

onde Ele ordenou aos discípulos: "Sentem-se aqui, enquanto Eu vou orar". Levou consigo a Pedro, Tiago e João, e começou a encher-se de profunda aflição e angústia. Disse-lhes: "Minha alma está esmagada pela tristeza a ponto de morrer; fiquem aqui e vigiem comigo". Ele foi um pouco adiante, caiu em terra e orou que, se fosse possível, a hora horrível que o esperava não chegasse. "Pai, ó Pai!" dizia Ele. "Tudo é possível para o Senhor. Afaste este cálice de mim. Contudo, Eu quero a sua vontade, e não a minha". Então voltou aos três discípulos e os encontrou dormindo. "Simão!" disse Ele. "Dormindo? Você não pôde vigiar comigo nem mesmo uma hora? Vigiem comigo e orem para que o Tentador não domine vocês. Pois embora o espírito esteja preparado, o corpo é fraco". Ele retirou-se outra vez e orou, repetindo suas

súplicas. Novamente voltou a eles e os encontrou dormindo, porque estavam muito cansados. Nem sabiam o que dizer. Na terceira vez em que Ele voltou a eles, disse: "Vocês ainda dormem e descansam! Mas não! Vejam! Eu vou ser entregue nas mãos dos perversos. Venham! Levantem-se! Precisamos ir embora. Vejam! O meu traidor se aproxima!" Imediatamente, enquanto Ele ainda estava falando, Judas, um dos seus discípulos, chegou com uma multidão armada de espadas e cacetes, enviada pelos sacerdotes principais e outros líderes judaicos. O traidor Judas havia combinado com eles um sinal: "Vocês devem prender aquele a quem eu beijar; procurem levá-lo bem seguro". Portanto, logo que chegaram, ele caminhou para Jesus. "Mestre!" exclamou, e o cumprimentou com um beijo.

Então a multidão prendeu Jesus e o amarrou bem. Mas alguém puxou uma espada e feriu o servo do supremo sacerdote, cortando-lhe a orelha. Jesus lhes perguntou: "Eu sou algum assaltante perigoso, para que vocês venham assim, armados para me prender? Por que não me prenderam no templo? Eu estive lá ensinando todos os dias. Porém estas coisas estão acontecendo para cumprir as profecias a respeito de mim". Enquanto isso todos os seus discípulos tinham fugido. Havia, contudo, um jovem seguindo atrás deles, vestido apenas com uma camisola de linho. Quando a multidão tentou agarrá-lo, ele escapou, embora suas roupas se

rasgassem durante a luta, de modo que ele fugiu completamente nu. Jesus foi conduzido à casa do supremo sacerdote, onde todos os sacerdotes principais e outros líderes judaicos se reuniram logo. Pedro seguia de longe e então entrou pelo portão da residência do supremo sacerdote e agachou-se ao lado duma fogueira, entre os criados. Lá dentro, os sacerdotes principais e

todo o Supremo Tribunal judaico estavam tentando encontrar alguma coisa contra Jesus que fosse suficiente para condená-lo à morte. Mas seus esforços eram em vão. Muitas falsas testemunhas se apresentaram, porém se contradiziam umas às outras. Finalmente uns

homens se levantaram para mentir contra Ele, e disseram: "Nós o ouvimos dizer: 'Eu destruirei este templo feito por mãos humanas e em três dias construirei outro, feito por mãos não humanas!'" Mas mesmo nessa hora eles não conseguiram que suas histórias coincidissem! Então o supremo sacerdote levantou-se diante do Tribunal e perguntou a Jesus: "Recusa-se a responder a esta acusação? Que tem a dizer em sua defesa?" Jesus não deu nenhuma resposta a isto. Então o supremo sacerdote perguntou-lhe: "Você é o Messias, o Filho de Deus?" Jesus disse: "Sou, e vocês me verão sentado à direita de Deus, vindo com as nuvens do céu". Então o supremo

sacerdote rasgou as roupas e disse: "Para que esperar por testemunhas? Vocês ouviram sua blasfêmia. Qual é a sentença de vocês?" E o voto pela sentença de morte foi de todos. Alguns deles começaram então a cuspir nele, vendaram-lhe os olhos e deram-lhe socos no rosto. "Ó profeta, quem foi que lhe bateu agora?" zombavam eles. E até os guardas iam dando-lhe socos enquanto o levavam para fora. Enquanto isso Pedro estava lá embaixo, no pátio. Umas das criadas que trabalhavam para o supremo sacerdote viu-o aquecendo-se na fogueira. Chegou bem perto e depois disse: "Você estava com Jesus, o

nazareno". Pedro negou isso. "Eu não sei o que você está dizendo!" disse ele, e saiu para o canto do pátio. Nessa mesma hora um galo cantou. A criada o viu de pé ali e começou a dizer aos outros: "Está ali! Está ali aquele discípulo de Jesus!" Pedro negou outra vez. Um pouco mais tarde, outros que estavam ao redor da fogueira começaram a dizer a Pedro: "Você também é um deles, porque é da Galiléia!" Ele começou a praguejar e jurar: "Eu não sei nem quem é esse homem de quem vocês estão falando", dizia. E imediatamente o galo cantou a segunda vez. Então as palavras de Jesus voltaram à mente de Pedro: "Antes que o galo cante duas vezes, você me negará três vezes". E ele começou a chorar.

Mateus 27:3-5

Nisso, Judas, o traidor, quando viu que Jesus tinha sido condenado à morte, com muito remorso pelo que tinha feito, trouxe de volta o dinheiro aos sacerdotes principais e aos outros líderes dos judeus. "Eu pequei", declarou ele, "porque traí um homem inocente". "O problema é seu", responderam eles. Então ele atirou o dinheiro no chão do templo, saiu e foi enforcar-se.

João 18:28–19:16

O julgamento de Jesus diante de Caifás terminou nas primeiras horas da manhã. Daí Ele foi levado ao palácio do governador romano. Os seus acusadores não entraram porque isso poderia "contaminar a todos", diziam eles, e depois não poderiam comer do cordeiro da Páscoa. Então o governador Pilatos saiu ao encontro deles e perguntou: "Qual é a acusação que vocês fazem contra este homem?" "Nós não o teríamos prendido se Ele não fosse um criminoso, ora essa!" disseram eles. "Então levem o acusado para ser julgado por vocês mesmos, pelas suas leis", disse Pilatos. "Mas nós queremos que Ele seja crucificado", disseram eles, "e é necessária a sua aprovação". Isto cumpriu o que Jesus havia dito a respeito do modo pelo qual

morreria. Então Pilatos entrou de volta no palácio e ordenou que trouxessem Jesus: "Você é o Rei dos Judeus?" perguntou. "Rei, como o senhor usa a palavra, ou como os judeus

empregam essa palavra?" perguntou Jesus. "E eu lá sou judeu?" disse Pilatos. "O seu próprio povo, e os sacerdotes principais, trouxeram você aqui. Por quê? Que foi que fez?" Então Jesus respondeu: "Eu não sou rei terreno. Se fosse, os meus seguidores teriam lutado quando Eu fui preso pelos líderes judeus. Mas o meu Reino não é deste mundo". Pilatos respondeu: "Então você é rei?" "Sim", disse Jesus, "Eu nasci para isso. Eu vim trazer a verdade ao mundo. Todos os que amam a verdade são meus seguidores". "Que é a verdade?" perguntou Pilatos. Depois ele saiu outra vez aonde o povo estava e disse: "Pelo meu exame, não há nada contra ele. Mas vocês têm um costume de cada ano pedir que na Páscoa eu solte alguém da prisão.

Portanto, se vocês quiserem, soltarei o 'Rei dos Judeus'." Porém eles gritaram: "Não! Esse homem, não, e sim Barrabás!" Barrabás era um assaltante. Então Pilatos mandou os soldados

surrarem Jesus com um chicote de chumbo. E eles fizeram uma coroa de espinhos, puseram na cabeça dele, e vestiram Jesus com um manto real vermelho. “Salve, ‘Rei dos Judeus’!”

caçoavam eles, e davam socos nele. Pilatos saiu outra vez e disse aos judeus: "Agora eu vou trazer Jesus aqui fora para vocês, mas entendam que eu o acho inocente". Então Jesus

saiu com a coroa de espinhos e o manto. Pilatos disse: "Aqui está o homem!" Ao ver Jesus, os sacerdotes principais e os oficiais judaicos começaram a gritar: "Crucifique! Crucifique!" "Vocês o crucifiquem", disse Pilatos. "Eu acho que Ele é inocente". Então responderam: "Pelas nossas leis Jesus deve morrer, porque se chamou a si mesmo de Filho de Deus". Quando Pilatos ouviu isto, ficou mais assustado do que nunca. Por isso levou Jesus novamente para o palácio e perguntou: "De onde você é?" Mas Jesus não deu nenhuma resposta. "Não fala comigo?" perguntou Pilatos. "Não compreende que eu

tenho poder de soltar ou crucificar os presos? Então Jesus disse: "O senhor não teria nenhum poder sobre mim se este não fosse dado ao

senhor lá de cima. Portanto, aqueles que me trouxeram ao senhor têm um pecado maior". Com isso, Pilatos tentava soltar Jesus, mas os líderes judaicos diziam: "Se o senhor soltar este homem, não é amigo de César. Todo aquele que se declara rei está em revolta contra César". Dizendo eles estas palavras, Pilatos novamente trouxe Jesus para fora, e se sentou no tribunal, chamado "Calçada de Pedras". A essa hora já era cerca de meio-dia da véspera da Páscoa. E Pilatos disse aos judeus: "Aqui está o rei de vocês!" "Fora com Ele!" gritaram. "Fora com Ele –

crucifique Jesus!" "Quê? Crucificar o rei de vocês?" perguntou Pilatos. Nós não temos nenhum outro rei, além de César", gritaram os sacerdotes principais. Então Pilatos entregou-lhes Jesus para ser crucificado.

IESVS NAZARENVS
REX IVDAEORVM
E a triste procissão começa...
Deixe-o passar!
Quem é ele?
Parece Jesus, o profeta!

Que injustiça fizeram com Jesus. Não fez nada de mal!
Malditos fariseus!
Os fariseus o odiavam porque criticava a hipocrisia deles.
Ele caiu!
Está muito fraco para carregar a cruz. Perdeu muito sangue.
Ei, você! Carregue a cruz até o Gólgota.
Eu? Não sou de Jerusalém. Sou de Cirene.
Quieto. Obedeça. É uma ordem!
Deixe-me carregar.
Ajude-o! É Jesus, o profeta!

Lucas 23:25-56

E soltou Barrabás, o homem preso por revolta e assassinato, a pedido deles. Mas entregou-lhes Jesus, para que eles fizessem como queriam.

Enquanto a multidão estava levando Jesus para a morte, Simão de Cirene, que estava naquela hora chegando do campo a Jerusalém, foi obrigado a segui-los, carregando a cruz de Jesus. Grandes multidões seguiam atrás, e muitas mulheres, que choravam de tristeza. Mas Jesus voltou-se e lhes disse: "Filhas de Jerusalém, não chorem por mim, mas por vocês mesmas e por seus filhos. Porque estão chegando dias em que as mulheres que não tiverem filhos serão consideradas verdadeiramente felizes. Nesses dias, muitos desejarão ser enterrados e cobertos pelos montes. Pois, se fazem coisas como estas a

mim, que sou a Árvore Viva, o que não farão a vocês?" Outros dois, que eram criminosos, foram conduzidos para fora, a fim de serem executados com Jesus num lugar chamado "A

Caveira". Ali todos os três foram crucificados – Jesus na cruz do meio, e os dois criminosos, um de cada lado. "Pai, perdoe esta gente", disse Jesus, "porque não sabem o que estão fazendo". Os soldados tiraram sortes sobre a roupa dele, jogando dados para cada peça. A multidão olhava. E os líderes dos judeus riam e caçoavam. "Ele foi tão bom socorrendo os outros", diziam, "vamos ver se Ele salva a si mesmo, se é realmente o Escolhido de Deus, o Messias". Os soldados caçoavam dele também, oferecendo-lhe vinagre para beber. E lhe diziam: "Se Você é de fato o Rei dos Judeus, salve-se a si mesmo!" Na cruz, por cima dele, estava escrito:

"ESTE É O REI DOS JUDEUS"

Um dos criminosos ao lado zombava: "Então Você é o Messias, não é? Prove isso, salvando a si mesmo – e a nós também!" Mas o outro criminoso protestou: "Você não teme a Deus nem quando está morrendo? Nós merecemos morrer pelos nossos crimes, mas este homem não fez nenhuma coisa ruim". E em seguida disse: "Jesus, lembre-se de mim quando o Senhor entrar em seu Reino". E Jesus respondeu: "Hoje você estará comigo no Paraíso. Esta é uma promessa". A esta altura era meio-dia, e a escuridão caiu sobre a terra inteira durante três horas, até as 3 da tarde. A luz do sol desapareceu – e de repente a grossa cortina pendurada no templo partiu em dois pedaços. Nessa hora

Jesus clamou: "Pai, ao Senhor entrego o meu espírito", e com estas palavras, morreu. Quando o comandante do grupo de soldados que dirigia as execuções viu o que tinha acontecido, ficou tomado de pavor diante de Deus e disse: "Verdadeiramente este homem era inocente". E a multidão que veio para ver a crucificação, quando viu que Jesus estava morto, voltou para casa, muito triste. Enquanto isso, os amigos de Jesus, incluindo as mulheres que o seguiram desde a Galiléia, estavam olhando de longe. Então um homem chamado José, da cidade de Arimatéia, na Judéia, membro do Supremo Tribunal judaico, foi a Pilatos e pediu o corpo de Jesus. Ele era um homem piedoso, que tinha esperado a vinda do Messias e não concordava com a decisão e os atos dos outros líderes judaicos. Assim ele desceu o corpo de Jesus da cruz e o enrolou numa longa peça de linho, colocando o corpo num túmulo novo, que ainda não havia sido usado, cavado na rocha. Isto foi feito bem à tardinha, na sexta-feira, o dia da preparação para o sábado. As mulheres da Galiléia

seguiram atrás do corpo e viram quando era carregado para dentro do túmulo. Dali elas foram para casa e prepararam perfumes para embalsamar o corpo. Mas na hora em que terminaram já era sábado, portanto descansaram todo aquele dia, conforme o mandamento da lei dos judeus.

Finalmente, o túmulo é selado
com uma enorme pedra.

Marcos 16:1-7

Na tarde do outro dia, passado o sábado, Maria Madalena, Salomé e Maria mãe de Tiago, foram comprar perfumes para embalsamar o corpo de Jesus. Levaram-nos ao túmulo na manhã seguinte bem cedo, logo ao nascer do sol. No caminho elas iam discutindo como poderiam rolar para o lado a enorme pedra da entrada. Mas quando chegaram, levantaram os olhos e viram que a pedra – uma pedra muito pesada – já havia sido tirada e a entrada estava aberta! Então elas entraram no túmulo – e ali estava sentado à direita um moço vestido de branco. As mulheres ficaram assustadas, mas o anjo disse: "Não fiquem com medo. Vocês não estão procurando Jesus, o nazareno que foi crucificado? Ele não está aqui! Voltou a viver! Vejam o lugar onde estava seu corpo. Agora vão e dêem este recado aos seus discípulos, incluindo Pedro: 'Jesus vai adiante de vocês para a Galiléia. Vocês o verão ali, tal como Ele lhes disse antes de morrer.'"

João 20:1-16

No Domingo de manhã bem cedo, enquanto ainda estava escuro, Maria Madalena foi ao túmulo e encontrou a pedra rolada para um lado da entrada. Ela correu e achou a mim e a Simão Pedro, dizendo: "Tiraram do túmulo o corpo do Senhor, e eu não sei onde puseram!" Nós corremos ao túmulo para ver; eu passei na frente de Pedro e cheguei lá primeiro; abaixei-me, olhei para dentro e vi o pano de linho ali; mas não entrei. Então Simão Pedro chegou e foi para dentro. Ele também viu o pano de linho ali, e o pedaço de pano que estava cobrindo a cabeça de Jesus estava enrolado e posto de lado. Foi quando eu entrei também, vi, e cri que Ele tinha ressuscitado! Porque até então não havíamos percebido que as Escrituras diziam

que Ele voltaria a viver! Fomos para casa, e Maria tinha voltado ao túmulo e estava do lado de fora, chorando. Enquanto chorava, ela se abaixou, olhou para dentro, viu dois anjos vestidos de branco, sentados na cabeça e nos pés do lugar em que o corpo de Jesus tinha estado. "Por que você está chorando?" perguntaram os anjos. "Porque levaram o meu Senhor embora", respondeu ela, "e eu não sei onde colocaram". Ela olhou por cima do ombro e viu alguém atrás dela. Era Jesus, porém ela não o reconheceu! "Por que você está chorando?" perguntou Ele. "A quem está procurando?" (Ela pensava que era o guarda do jardim). "Senhor", disse ela, "se o senhor levou Jesus, diga-me onde pôs, que eu vou buscar o corpo". "Maria!" disse Jesus. Ela voltou-se para Ele. "Mestre!" exclamou.

Meu Mestre!
Não me toque!
Ainda não subi ao Pai. Avise os discípulos!
Eu vi Jesus! Ele está vivo!
Maria, você não está bem.
Seja razoável! É impos-sível!
Mulheres... Adoram fantasiar!

Lucas 24:13-47

Naquele mesmo dia, dois dos seguidores de Jesus estavam caminhando para a aldeia de Emaús, a onze quilômetros de Jerusalém. Enquanto eles andavam, iam falando dos acontecimentos da morte de Jesus, quando de repente o próprio Jesus veio, uniu-se a eles, e começou a andar ao lado deles! Porém eles não o reconheceram porque Deus os impediu. “Vocês parecem estar conversando muito sério sobre alguma coisa”,

disse Ele. "Com que se acham tão preocupados?" Eles pararam, muito tristes. E um deles, Cléopas, respondeu: "Você deve ser a única pessoa em Jerusalém toda que não sabe das coisas terríveis que aconteceram na semana passada". "Que coisas?" perguntou Jesus. "As coisas que aconteceram com Jesus, o Nazareno", disseram eles. "Era um Profeta que fazia milagres incríveis e um poderoso Mestre, muito considerado tanto por Deus como pelos homens. Mas os sacerdotes principais e os nossos líderes religiosos o prenderam e o entregaram ao governo romano para ser condenado à morte e o crucificaram. Nós pensávamos que Ele fosse o glorioso Messias, que tinha vindo para libertar Israel. E agora, além de tudo isso – que aconteceu há três dias –, algumas mulheres do nosso grupo, estiveram no seu túmulo hoje de manhã cedinho. Voltaram com a história surpreendente de que o corpo dele havia desaparecido, e que lá encontraram anjos, que disseram que Jesus está vivo! Alguns homens do nosso grupo correram para ver, e de fato, o corpo de Jesus havia desaparecido, tal como as mulheres tinham dito!" Então Jesus lhes disse: "Vocês são insensatos; gente insensata! Acham difícil crer tudo o que os profetas disseram nas

Escrituras! Não foi profetizado que o Messias teria de sofrer todas estas coisas antes de voltar à sua glória?" Então Jesus citou para eles um trecho atrás do outro, sobre os profetas, começando pelo livro de Gênesis e através das Escrituras, explicando o que os textos queriam dizer e o que diziam a respeito dele mesmo.

A essa altura estavam chegando perto de Emaús e do fim da sua viagem. Jesus queria seguir adiante. Porém eles pediram-lhe que passasse a noite com os dois, pois estava ficando tarde. Então Ele foi para a casa deles. Quando iam comer, Ele pediu a bênção de Deus sobre a comida e tomou um pão, partiu-o e estava distribuindo a eles, quando de repente – isto se deu quando seus olhos foram abertos – eles o reconheceram! Mas naquele momento Ele desapareceu! Começaram então a contar um ao outro como seus corações ficaram cheios de alegria enquanto Ele falava com eles e explicava as Escrituras durante a caminhada pela estrada. Na mesma hora eles se puseram a caminho de volta para Jerusalém, onde os onze discípulos e outros seguidores de Jesus os saudaram com estas palavras: "O Senhor ressuscitou realmente! Ele apareceu a Pedro!" Então os dois homens de Emaús contaram sua história, como Jesus tinha aparecido quando estavam caminhando pela

estrada, e como eles o haviam reconhecido na hora em que partiu o pão. E bem quando eles estavam contando isso, o próprio Jesus de repente achou-se ali entre eles e os cumprimentou! Mas o grupo todo ficou muito assustado, pensando que estavam vendo um espírito! "Por que estão com medo?" perguntou Ele. "Por que duvidam que seja Eu mesmo? Olhem para as minhas mãos! Olhem para os meus pés! Vocês podem ver que sou Eu, Eu mesmo! Toquem em mim e verifiquem que Eu não sou um espírito! Pois espíritos não têm corpo, como estão vendo que Eu tenho!" Assim falando, Ele estendeu as mãos para eles verem (os sinais dos pregos), e mostrou-lhes os pés (com as feridas). Eles ainda ficaram admirados, cheios de alegria e de dúvida. Então Ele perguntou: "Vocês têm aqui alguma coisa para comer?" Eles lhe deram um pedaço de peixe assado, e Ele o comeu diante de todos! Então Jesus disse: "Quando Eu estava antes com vocês, não se lembram de Eu ter falado que todas as coisas que estavam escritas a meu respeito por Moisés, pelos profetas, e nos Salmos, deveriam se cumprir?" Assim abriu-lhes as mentes para que entendessem as Escrituras! E disse: "Sim, estava escrito há muito tempo que o Messias devia sofrer, morrer, e ressuscitar ao terceiro dia. Também estava escrito que deveria ser levada de Jerusalém a todas as nações esta mensagem de salvação: Existe perdão de pecados para todos os que se voltam para mim".

João 20:19-29

Naquela tarde os discípulos estavam reunidos com as portas trancadas, com medo dos líderes judaicos, quando de repente Jesus apareceu entre eles! Depois de cumprimentar a todos, mostrou a eles suas mãos e o seu lado. Que alegria maravilhosa sentiram quando viram o seu Senhor! Ele falou-lhes novamente: "Assim como o Pai me enviou, da mesma forma Eu estou enviando vocês". Depois Jesus assoprou neles e disse: "Recebam o Espírito Santo. Se vocês perdoarem os pecados de alguém, eles estão perdoados. Se vocês se recusarem a perdoar, eles ficam sem perdão". Um dos discípulos, Tomé, o "Gêmeo", naquela ocasião não estava lá com os outros. Quando eles se puseram a contar-lhe: "Nós vimos o Senhor", ele respondeu: "Eu não acreditarei nisso, se não enxergar as feridas dos cravos nas suas mãos

– e não puser os meus dedos nas feridas e no seu lado". Oito dias depois os discípulos estavam juntos novamente, e desta vez Tomé estava com eles. As portas estavam trancadas; porém de repente, como da outra vez, Jesus veio e ficou de pé entre eles. Então Ele disse a Tomé: "Ponha o seu dedo aqui nas minhas mãos. Ponha a sua mão aqui no meu lado. Não seja tão descrente assim. Creia!" "Meu Senhor e meu Deus!" disse Tomé. Então Jesus lhe disse: "Você crê porque me viu. Benditos aqueles que não me viram e mesmo assim crêem".

João 21:1-19

Depois Jesus apareceu novamente aos discípulos na beira do Lago da Galiléia. Foi assim que aconteceu: Estava ali um grupo nosso – Simão Pedro, Tomé, o "Gêmeo", Natanael de Caná da Galiléia, meu irmão Tiago e eu, além de outros dois discípulos. Simão Pedro disse: "Vou pescar". "Nós vamos também", dissemos todos. Fomos, mas não pegamos nada a noite toda.

De madrugada vimos um homem de pé na praia, mas não podíamos perceber quem era.

Ele perguntou: "Rapazes, pegaram muito peixe?" "Não", respondemos. Então Ele disse: "Atirem a rede do lado direito da barca, que vocês vão conseguir pescar muitos"! Fizemos assim, e não podíamos recolher a rede, por causa do enorme peso dos peixes! Então eu disse a Pedro: "É o Senhor!" Nisso Simão Pedro vestiu a túnica, porque estava só com a roupa de baixo, saltou na água e nadou até a praia. Nós, os outros, ficamos na barca e puxamos a rede carregada para a praia, distante uns 100 metros. Quando chegamos lá, vimos uma fogueira acesa com peixe assando. Também havia pão. "Tragam um pouco do peixe que

vocês acabaram de pegar", disse Jesus. Nisto Simão Pedro saiu e arrastou a rede para a praia. Havia 153 peixes grandes; nem assim a rede rebentou! "Agora venham comer um pouco!" disse Jesus; e nenhum de nós tinha coragem de perguntar se Ele realmente era o Senhor, porque estávamos bem certos disso. Então Jesus foi nos servindo de pão e peixe. Esta era a terceira vez que Jesus aparecia a nós desde a sua volta dentre os mortos Depois da refeição, Jesus disse a Simão Pedro: "Simão, filho de João, você me ama mais do que estes outros?" "Sim", respondeu Pedro, "o Senhor sabe que eu sou seu amigo".

"Então pastoreie os meus cordeiros", disse Jesus. Jesus repetiu a pergunta: "Simão, filho de João, você me ama de verdade?" "Sim, Senhor", disse Pedro. "O Senhor sabe que eu sou seu amigo". "Então cuide das minhas ovelhas", disse Jesus. Mais uma vez Ele perguntou: "Simão, filho de João, você é mesmo meu amigo?" Pedro ficou triste porque Jesus fez a pergunta pela terceira vez. "O Senhor conhece o meu coração; o Senhor sabe quem eu sou", disse ele. Jesus disse: "Então pastoreie as minhas ovelhinhas. Quando você era jovem, era capaz de fazer o que gostava, e de ir aonde queria ir; mas quando for velho, você estenderá as mãos, outros guiarão você e levarão aonde você não quer ir". Jesus disse isto para dizer de que tipo de morte ele morreria para glorificar a Deus. Depois Jesus disse: **"Siga-me"**

O Amor de Deus por Você

Porque Deus amou tanto o mundo que deu seu Filho único, para que todo aquele que crer nele não pereça, mas tenha a vida eterna. **João 3:16**

Deus, no entanto, mostrou seu grande amor por nós, enviando Cristo para morrer por nós enquanto ainda éramos pecadores. **Romanos 5:8**

Jesus disse: Eu sou o Caminho, a Verdade e a Vida. Ninguém pode chegar até o Pai, a não ser por mim. **João 14:6**

Mas se estivermos vivendo na luz da presença de Deus, tal como Cristo, então temos alegria e uma comunhão maravilhosa uns com os outros, e o sangue de Jesus, seu Filho, nos purifica de todo pecado. Se dissermos que não temos pecado, só estamos nos enganando a nós mesmos, e recusando aceitar a verdade. Mas se confessarmos os nossos pecados a ele, podemos confiar que ele nos perdoa e nos purifica de todo erro. **1João 1:7-9**

Ó Deus, tenha misericórdia de mim, um pecador! **Lucas 18:13**

Creia no Senhor Jesus, e você será salvo, e a sua família inteira também. **Atos 16:31**

A Boa-Nova é:

Jesus Ressuscitou da Morte

Ele Vive!

Oração:

Querido Jesus,
Eu creio que o Senhor é o Filho de Deus.
O Senhor foi crucificado numa cruz, morrendo para levar o castigo dos meus pecados. Depois, o Senhor ressuscitou dos mortos e vive para sempre.
Por favor, perdoe os meus pecados. Obrigado porque o Senhor é o meu Salvador. Senhor, ajude-me a amá-lo de todo o coração e a fazer, todos os dias, aquilo que seja do seu agrado.

Amém!

5 Um dia, quando as multidões estavam-se reunindo, Ele subiu a encosta do monte com seus discípulos, sentou-se e ensinava a todos ali. Muito felizes são os humildes! dizia Ele, porque o Reino dos Céus é dado a eles. Felizes são os que choram! Porque serão consolados. Felizes são os mansos e simples! Porque o mundo inteiro pertence a eles. Felizes aqueles que aspiram por ser justos e bons, porque terão a justiça com toda certeza. Felizes os que são amáveis e têm misericórdia dos outros, porque a eles se mostrará misericórdia. Felizes os que têm coração puro, porque verão a Deus. Felizes aqueles que procuram promover a paz – pois serão chamados filhos de Deus. Felizes aqueles que são perseguidos por serem justos, pois o Reino dos Céus é deles. Quando vocês forem maltratados, perseguidos e caluniados por serem meus seguidores – ótimo! Fiquem contentes com isso! Fiquem muito contentes! Porque uma grandiosa recompensa espera vocês lá em cima no céu. E lembrem-se: Os profetas antigos também foram perseguidos.

Sal e Luz do Mundo

Vocês são o sal da terra que a torna suportável. Se perderem seu sabor, que acontecerá ao mundo? Vocês mesmos serão jogados fora e tratados como coisa sem valor. Vocês são a luz do mundo – uma cidade sobre um monte, brilhando durante a noite para ser vista por todos. Não escondam a luz de vocês! Deixem que ela brilhe para todos; e que as boas obras de vocês brilhem para serem vistas por todos, de tal maneira que louvem o Pai celeste. Não entendam de modo errado a razão da minha vinda – não é para abolir as leis de Moisés e as advertências dos profetas. Não. Eu vim para cumprir as leis, e para fazer com que todas elas possam ser realmente seguidas. Eu afirmo a vocês, com toda a verdade que: cada lei do Livro continuará de pé até que o seu objetivo seja alcançado. E assim, se alguém quebrar o menor mandamento, e ensinar outros a fazê-lo também, ele será o menor de todos no Reino dos Céus. Mas aqueles que ensinam as leis de Deus, e obedecem a todas elas, serão grandes no Reino dos Céus. Porém Eu advirto a todos: a menos que vocês tenham melhor caráter que os fariseus e outros líderes dos judeus, não poderão de maneira nenhuma entrar no Reino dos Céus.

O Homicídio

De acordo com as leis de Moisés, a regra era: Se você matar deve morrer. Porém Eu ampliei aquela regra, e digo que basta que vocês fiquem com raiva, mesmo que seja só em casa, para que corram já perigo de julgamento! Se vocês chamarem um amigo de idiota, correm o perigo de serem levados perante um tribunal. E se amaldiçoarem alguém, correm o perigo das chamas do inferno. Portanto, se você estiver diante do altar no templo, oferecendo um sacrifício a Deus, e de repente se lembrar de que um amigo tem alguma coisa contra você, deixe seu sacrifício ali, ao lado do altar, vá e peça desculpas, faça as pazes com ele, depois volte, e ofereça o seu sacrifício a Deus. Chegue depressa a um acordo com o seu inimigo, antes que seja tarde demais, e ele arraste você ao tribunal, para que seja lançado na cadeia como devedor. Porque você ficará ali até pagar o último centavo.

O Adultério

As leis de Moisés diziam: Não cometa adultério. Porém Eu digo: Qualquer um que até mesmo olhar para uma mulher com cobiça nos olhos, em seu coração já cometeu adultério com ela. Portanto, se o seu olho – o olho com que você enxerga melhor – faz você cobiçar, arranque e atire para longe. É melhor que seja destruída uma parte de você, do que ser lançado você todo no inferno. E se a sua mão – até mesmo a sua mão direita! – faz você pecar, corte e jogue longe. É melhor isso do que você se ver no inferno.

O Divórcio

A lei de Moisés diz: Se alguém quiser desfazer-se de sua esposa, pode divorciar-se dela apenas mandando-a embora e entregando-lhe um documento escrito. Porém Eu digo, que se um homem se divorciar de sua esposa, se não for por causa de infidelidade, faz com que ela, casando-se de novo, cometa adultério.

Os Juramentos

Ainda mais, a lei de Moisés diz: Você não deve quebrar suas promessas a Deus, e sim cumprir todas elas. Porém Eu digo: Não façam juramentos! E até mesmo dizer: Juro pelo céu! é um voto sagrado a Deus, porque os céus são o trono de Deus. E se vocês disserem: 'Juro pela terra!' Isso é um voto sagrado, porque a terra é para Deus o estrado de seus pés. E não jurem: Por Jerusalém! porque Jerusalém é a capital do grande Rei. Nem mesmo digam: Juro pela minha cabeça! porque você não pode tornar um cabelo branco ou preto. Diga simplesmente: Sim, eu farei, ou: Não, eu não farei. Sua palavra é bastante. Reforçar promessa com um juramento revela que alguma coisa está errada. A lei de Moisés diz: Se um homem arrancar o olho de um outro, deve pagar com seu próprio olho. Se um dente for arrancado a pancadas, arranque-se da mesma forma o dente daquele que fez isso. Porém Eu digo: Não resista à violência! Se lhe baterem numa face, apresente a outra também. Se você for levado ao tribunal, e lhe tomarem a camisa, dê também a eles o casaco. Se um soldado exigir que você carregue a mochila dele por um quilômetro, carregue dois. Dê àqueles que lhe pedem, e não fuja daqueles que lhe querem tomar emprestado.

O Amor aos Inimigos

Há um ditado assim: Ame os seus amigos e odeie seus inimigos. Porém Eu digo: Amem os seus inimigos! Orem por aqueles que perseguem vocês! Dessa forma vocês estarão agindo como verdadeiros filhos do seu Pai do Céu. Porque Ele envia sua luz do sol tanto sobre os maus como sobre os bons, e manda a chuva para os justos e para os injustos também. Se vocês amam apenas aqueles que amam vocês, que adianta isso? Até mesmo os malandros fazem muito isso. Se vocês só forem amigos apenas dos seus amigos, em que são diferentes de qualquer outro? Até mesmo os pagãos fazem isso. Mas vocês devem ser perfeitos, tanto como o seu Pai do céu é perfeito.

A Ajuda aos Necessitados

6 Cuidado! Não pratiquem suas boas obras publicamente, para serem admirados, porque então vocês perderão a recompensa do seu Pai do céu. Quando derem uma esmola, não fiquem contando a todo mundo a respeito disso, como os hipócritas fazem – tocando trombetas nas sinagogas e nas ruas chamando atenção para os seus atos de caridade! Verdadeiramente Eu digo: Eles já receberam toda a recompensa que poderiam ter. Mas quando

vocês fizerem um favor a alguém, façam-no secretamente – não contem à sua mão esquerda aquilo que a sua mão direita está fazendo. E o seu Pai, que conhece todos os segredos, recompensará vocês.

A Oração

E agora, a respeito da oração. Quando orarem, não sejam como os fingidos, que oram publicamente nas esquinas das ruas e nas sinagogas, para todo mundo ver. Verdadeiramente, essa é toda a recompensa que eles poderão ter. Mas vocês, quando orarem, retirem-se, completamente a sós, fechem a porta atrás de vocês, e orem ao seu Pai secretamente; e seu Pai, que conhece os seus segredos, recompensará vocês. Não fiquem recitando sempre a mesma oração, como os pagãos fazem, pois pensam que as orações repetitivas é que são eficientes. Lembrem-se: seu Pai sabe exatamente o que vocês precisam, até mesmo antes que vocês peçam a Ele! Orem desta maneira:

Nosso Pai
do céu, nós adoramos o seu
santo nome. Pedimos que seu
reino venha logo. Que a sua
vontade seja feita aqui na terra,
tal como é feita no céu.
Dê-nos hoje outra vez o nosso
alimento, como sempre, e
perdoe-nos os nossos pecados,
tal como nós temos perdoado
aqueles que pecaram contra nós.
Não nos ponha em tentação,
mas livre-nos do Maligno.
Amém!

Seu Pai celeste perdoará a vocês se vocês perdoarem àqueles que pecam contra vocês; mas se vocês se recusarem a perdoar-lhes Deus não perdoará a vocês.

O Jejum

E agora a respeito do jejum. Quando vocês jejuarem, deixando de alimentar-se com um propósito espiritual, não façam isso publicamente como os fingidos fazem, porque procuram parecer abatidos e desarrumados para que o povo tenha pena deles! Verdadeiramente, esta é a única recompensa que eles terão. Mas, quando você estiver jejuando, vista-se com a sua roupa mais bonita, de tal maneira que ninguém desconfie que você está em jejum, e sim apenas o seu Pai que conhece todos os segredos. E Ele recompensará você.

Os Tesouros no Céu

Não se preocupem em acumular riquezas aqui na terra, onde tudo pode estragar-se ou ser roubado. Guardem, sim, coisas preciosas no céu, onde nunca perdem seu valor, e estão livres dos ladrões! Se as riquezas estiverem no céu, o seu coração também estará lá. Se o seu olho for puro, haverá o brilho do sol na sua alma. Mas se o seu olho estiver coberto de maus pensamentos e maus desejos, você está em profunda escuridão espiritual. E como essa escuridão pode ser horrível! Vocês não podem servir a dois patrões: Deus e o dinheiro. Porque vocês odiarão um e amarão outro, ou vice-versa.

As Preocupações da Vida

Portanto, meu conselho é: Não fiquem preocupados a respeito de coisas: O que comer, o que beber e o que vestir. Porque vocês já têm a vida e o corpo – e eles são muito mais importantes do que o que comer ou o que vestir. Olhem os passarinhos! Eles não se preocupam com a comida – eles não precisam semear, colher, ou guardar comida – pois o Pai celeste de vocês os alimenta. E para Deus, vocês valem mais do que os passarinhos. Será que com todas as preocupações juntas poderão acrescentar um único momento à vida de vocês? E por que ficar preocupados com a roupa? Olhem os lírios do campo! Eles não se preocupam com isto. Até o rei Salomão, em toda a sua glória, não se vestiu tão bem como qualquer deles. E se Deus cuida tão maravilhosamente das flores, que hoje estão aqui e amanhã já desapareceram, será que Ele não vai, com toda a certeza, cuidar de vocês? Vocês têm uma fé muito fraca. Portanto não se preocupem de forma alguma com a necessidade de comida e roupa suficientes. Não sejam como os pagãos! Pois eles se orgulham dessas coisas todas, e estão muitíssimo interessados nelas. Mas o Pai celeste, que vocês têm, já sabe muito bem que vocês precisam delas, e Ele as dará a vocês, se o colocarem no primeiro lugar de suas vidas. Portanto não fiquem preocupados com o dia de amanhã. Deus cuidará do dia de amanhã para vocês também. Já é suficiente a preocupação de cada dia.

O Julgamento do Próximo

7 Não critiquem, e assim vocês não serão criticados! Porque como vocês tratam os outros, eles também vão tratar vocês. E por que se preocupar com um cisco no olho de um irmão, quando você tem uma tábua no seu próprio olho? Você diria: Amigo, deixe-me ajudar você a tirar esse cisco do seu olho, quando você mesmo nem pode enxergar, com uma tábua em seu próprio olho? Fingido! Livre-se da tábua primeiro, assim você poderá enxergar para ajudar seu irmão. Não dêem pérolas a porcos! Eles pisarão as pérolas. Não dêem coisas santas a homens depravados. Eles se voltarão para atacar vocês.

A Persistência na Oração

Peçam, e vocês receberão aquilo que pedirem. Procurem e vocês acharão. Batam, e a porta se abrirá. Pois todo aquele que pede, recebe. Qualquer um que procura, acha. Se vocês apenas baterem, a porta se abrirá. Se uma criança pedir ao pai um pão, receberá uma pedra em lugar disso? Se ela pedir peixe, receberá uma serpente venenosa? Claro que não! E se vocês, que têm um coração duro e são pecadores, sabem dar bons presentes aos seus filhos, o seu Pai do céu não dará muito mais seguramente bons presentes àqueles que lhe pedirem? Façam aos outros aquilo que vocês querem que eles façam a vocês mesmos. Isto é em poucas palavras o ensino das leis de Moisés.

A Porta Estreita e a Porta Larga

Só se pode entrar no céu pela porta estreita! A entrada para o inferno é larga, e sua porta é bastante ampla, para todas as multidões que escolherem esse caminho fácil. Mas a Porta da Vida é pequena e a estrada é estreita, e só uns poucos a encontram. Cuidado com os falsos mestres que vêm disfarçados em ovelhas inofensivas, mas são lobos, e vão despedaçar vocês. Vocês podem descobri-los pela maneira como agem, tal como podem identificar uma árvore pelo seu fruto. Vocês nunca confundirão uma videira com um espinheiro! Ou figos com cardos! As diversas qualidades de árvores frutíferas podem ser rapidamente identificadas pelo exame do seu fruto. Uma árvore que dá bons frutos, nunca dá um fruto que não se pode comer. E uma árvore que sempre dá frutos ruins, nunca dá um fruto que se pode comer. Por isso, as árvores que têm um fruto que não se come, são cortadas e atiradas no fogo. Sim, o meio de identificar uma árvore, ou uma pessoa é pela qualidade do fruto que dá. Nem todos os que falam como gente religiosa são realmente assim. Tais pessoas podem referir-se a mim como Senhor, porém apesar disso não entrarão no céu. Porque a questão decisiva é se elas obedecem ao meu Pai do céu ou não. No Juízo muitos me dirão: Senhor, Senhor, nós falamos aos outros a seu respeito, e usamos o seu nome para expulsar demônios, e para fazer muitos outros grandes milagres. Mas Eu responderei: Vocês nunca foram meus. Vão embora, porque as suas obras são más.

O Prudente e o Insensato

Todos os que ouvem os meus ensinos e seguem, são ajuizados, como um homem que constrói sua casa na rocha sólida. Embora a chuva caia em torrentes, as enchentes subam e os ventos de tempestades batam contra sua casa, ela não cairá, porque está construída sobre a rocha. Mas aqueles que ouvem os meus ensinos e não obedecem, são loucos, como um homem que constrói sua casa sobre a areia. Porque quando as chuvas e as enchentes vierem, e os ventos de tempestades baterem contra sua casa, ela cairá fazendo um barulho medonho. As multidões ficavam admiradas com os sermões de Jesus, porque Ele ensinava como alguém que tinha grande autoridade, e não como os líderes dos judeus.

Tiago

1 De: Tiago, um servo de Deus e do Senhor Jesus Cristo. Para: Os cristãos judeus espalhados por toda parte. Saudações!

Provas e Tentações

Queridos irmãos, a vida de vocês está cheia de dificuldades e de tentações? Então, sintam-se felizes, porque, quando o caminho é áspero, a perseverança de vocês tem uma oportunidade de crescer. Portanto, deixem-na crescer, e não procurem desviar-se dos seus problemas. Porque, quando a perseverança de vocês estiver afinal plenamente crescida, vocês estarão preparados para qualquer coisa, e serão fortes de caráter, íntegros e perfeitos. Se quiserem saber o que Deus quer que vocês façam, perguntem-lhe, e Ele alegremente lhes dirá, pois está sempre pronto a dar uma farta provisão de sabedoria a todos os que lhe pedem; Ele não se ofenderá com isso. Mas, quando lhe perguntarem, estejam certos de que vocês realmente esperam que Ele lhes diga, pois uma mente duvidosa é tão inconstante como uma onda do mar que é empurrada e agitada pelo vento, e cada decisão que vocês tomarem assim, será insegura, na medida em que vocês se voltam ora para um lado, ora para o outro. Portanto, se vocês não pedirem com fé, não esperem que o Senhor lhes dê alguma resposta concreta. O cristão que não goza de muito prestígio neste mundo deve sentir-se alegre, pois ele é grande aos olhos do Senhor. Mas o homem rico deve sentir-se alegre porque as suas riquezas não significam nada para o Senhor, pois ele logo passerá, como uma flor que perdeu a beleza, murcha e seca, queimada pelo sol abrasador do verão. Assim é com os ricos. Morrerão logo e deixarão para trás todos os seus afazeres trepidantes. Feliz é o homem que não cede e não pratica o mal quando é tentado, porque depois receberá como recompensa a coroa da vida que Deus prometeu àqueles que o amam. E lembrem-se: quando alguém quer fazer o mal, nunca é Deus quem o está tentando, pois Deus nunca deseja praticar o mal e nunca tenta ninguém a praticá-lo. Mas a tentação é a fascinação dos próprios pensamentos e desejos maus do homem. Estes maus pensamentos levam às más ações e, depois disso, ao castigo da morte aplicado por Deus. Portanto, não se deixem enganar, caros irmãos. Mas tudo quanto é bom e perfeito nos vem de Deus, o Criador de toda luz, e que resplandece para sempre, sem mudança nem sombra. E foi para Ele um dia feliz quando Ele nos deu a nossa vida nova, por meio da verdade da sua Palavra e nos tornamos, por assim dizer, os primeiros filhos na sua nova família.

Praticando a Palavra

Queridos irmãos, nunca se esqueçam de que o melhor é ouvir muito, falar pouco e não nos irarmos; pois a ira não nos torna bons, como Deus exige que sejamos. Portanto, livrem-se de tudo o que está errado em sua vida, tanto interna como externamente, e alegrem-se humildemente com a mensagem maravilhosa que nós recebemos, pois ela é capaz de salvar as nossas almas à medida que se desenvolve em nossos corações. E lembrem-se: esta mensagem é para obedecer, e não apenas para ouvir. Portanto, não se enganem: pois se uma pessoa apenas ouvir e não obedecer, será como um homem que olha o seu próprio rosto num espelho; e, logo que se afasta, ele não pode mais ver-se a si mesmo nem se lembrar de como é a sua aparência. Entretanto, se continuar olhando com firmeza na lei de Deus para homens livres, ele não só se lembrará dela, mas fará aquilo que ela diz, e Deus abençoará grandemente esse homem em tudo quanto fizer. Se alguém diz que é cristão e não controla a sua língua ferina, está apenas enganando-se a si mesmo, e a sua religião não vale muita coisa. O cristão puro e sem faltas, do ponto de vista de Deus o Pai, é aquele que cuida dos órfãos e das viúvas, e cuja alma permanece fiel ao Senhor – sem se contaminar nem se sujar em seus contatos com o mundo.

2 Queridos irmãos, como vocês podem alegar que pertencem ao Senhor Jesus Cristo, o Senhor da glória, se mostrarem preferência por gente rica e desprezarem os pobres? Se entrar na igreja de vocês um homem vestido de roupas custosas e com preciosos anéis de ouro nos dedos, e no mesmo instante entrar outro homem, pobre e vestido de roupas velhas, e vocês fizerem um grande alvoroço com o homem rico, e lhe derem o melhor assento da casa, e disserem ao homem pobre: Você pode ficar em pé ali, se quiser, ou então sente-se no chão – ora, este tipo de procedimento lança uma interrogação sobre a fé que vocês têm – vocês, afinal de contas, são realmente cristãos? – e mostra que vocês estão sendo dirigidos por propósitos errados. Ouçam-me, queridos irmãos: Deus escolheu gente pobre para ser rica na fé, e o reino do céu lhe pertence, pois essa é a dádiva que Deus prometeu àqueles que o amam. E no entanto, dos dois estranhos, vocês desprezaram o homem pobre. Vocês não percebem que geralmente são os ricos que perseguem vocês e os arrastam ao tribunal? E grande parte das vezes são eles que se riem de Jesus Cristo, cujo nome honroso vocês levam. Deveras é bom quando vocês verdadeiramente obedecem à ordem do nosso Senhor: Você deve amar e ajudar os seus semelhantes, tanto quanto ama e cuida de si mesmo. Mas vocês estão quebrando esta lei do nosso Senhor quando mostram predileção pelos ricos e os adulam; isso é pecado. E a pessoa que guarda todas as leis de Deus, mas comete só um pequeno

deslize, é tão culpada quanto a pessoa que quebrou todas as leis que existem. Porque o mesmo Deus que disse que você não pode casar-se com uma mulher que já tenha marido também disse que você não pode matar; portanto, mesmo que não tenha quebrado as leis do casamento por cometer adultério, se você já matou alguém, então já quebrou completamente todas as leis de Deus e é irremediavelmente culpado diante dele. Vocês serão julgados com base no fato de estarem ou não fazendo o que Cristo quer que vocês façam. Portanto, cuidado com o que fazem e com o que pensam; pois não haverá misericórdia para com aqueles que não tenham mostrado misericórdia. Mas, se vocês tiverem sido misericordiosos, então a misericórdia de Deus para com vocês triunfará sobre o julgamento dele contra vocês.

Fé e Obras

Queridos irmãos, que proveito há em vocês dizerem que têm fé e são cristãos, se não estiverem provando isso pelo socorro aos outros? Esse tipo de fé salvará alguém? Se vocês tiverem um amigo que está necessitado de alimento e vestuário, e lhe disserem: Bem, adeus, e que Deus o abençoe; aqueça-se e coma bem, e depois não lhe derem roupas ou alimentos, que bem faz isso? Portanto, vocês vêem que não é suficiente apenas ter fé. É também preciso que façam o bem para provarem que a têm. A fé que não se manifesta por meio de boas obras, não é fé coisa nenhuma – é morta e inútil. Mas alguém poderá argumentar muito bem: Você acha que o caminho para Deus é pela fé sozinha, sem nada mais; ora, eu digo que as obras são importantes também, porque sem boas obras você não pode provar se tem fé ou não; mas qualquer um pode ver que eu tenho fé pelo modo como procedo. Ainda existe alguém entre vocês que sustenta que apenas crer é suficiente? Crer num único Deus? Ora, lembrem-se que os demônios também crêem nisso – com tanta convicção que até tremem de terror! Ó homem insensato! Quando é que afinal você compreenderá que crer é inútil sem fazer o que Deus quer que você faça? A fé que não resulta em boas obras realmente não é fé. Vocês não se recordam de que até mesmo o pai Abraão foi declarado justo por causa do que ele fez, quando estava pronto para obedecer a Deus, mesmo que isso significasse oferecer seu filho Isaque para morrer no altar? Como vocês vêem, ele estava de tal modo confiante em Deus que faria de bom grado qualquer coisa que Deus lhe dissesse; a sua fé se tornou completa por aquilo que ele fez, pelas suas ações, pelas suas boas obras. E assim aconteceu tal como as Escrituras dizem, que Abraão confiou em Deus, e o Senhor o declarou justo aos olhos de Deus, e ele até foi chamado o amigo de Deus. Vocês vêem, portanto, que um homem é salvo pelo que ele faz, tanto como pelo que ele crê. Raabe, a prostituta, é outro exemplo disto. Ela foi salva por causa do que fez quando escondeu aqueles mensageiros e os mandou embora em segurança por uma estrada diferente. Tal como o corpo está morto quando não há espírito nele, assim também a fé está morta se não for do tipo que resulta em boas obras.

O Domínio sobre a Língua

3 Queridos irmãos, não sejam muito impacientes para falar aos outros a respeito das faltas deles, pois todos nós cometemos muitos erros; e quando nós, os mestres, que deveríamos ter melhor conhecimento, fazemos o mal, nosso castigo é maior do que seria para os outros. Se alguém pode dominar a sua língua, isso

prova que ele tem perfeito domínio sobre si próprio em tudo o mais. Podemos fazer com que um cavalo grande se volte, e vá para onde quisermos, por meio de um pequeno freio em sua boca. E um leme minúsculo faz com que um navio enorme se volte para qualquer lado que o piloto queira que ele vá, mesmo que os ventos sejam fortes. Assim também a língua é uma coisa pequena, mas que prejuízo imenso pode provocar! Uma grande floresta pode incendiar-se por meio de uma centelha pequenina. E a língua é uma chama de fogo. Está cheia de maldade e envenena todos os membros do corpo. E é o próprio inferno que ateia fogo à língua, que pode transformar toda a nossa vida numa chama ardente de destruição e desastre. Os homens têm domesticado, ou podem domesticar, qualquer espécie de animal ou ave que tem vida, e qualquer espécie de serpente e de peixe, mas nenhum ser humano pode domar a língua. Ela está sempre pronta a expelir seu veneno mortífero. Umas vezes, a língua dá louvores ao nosso Pai celestial, e outras ela rompe em maldições contra os homens que são feitos à semelhança de Deus. E assim a bênção e a maldição vêm brotando da mesma boca. Queridos irmãos, é evidente que isso não está certo! Uma fonte d'água jorra primeira água doce e depois água amarga? Podem-se colher azeitonas de uma figueira, ou figos de uma parreira? Não, e não se pode tampouco tirar água doce de um poço salgado.

Os Dois Tipos de Sabedoria

Se vocês forem sábios, vivam uma vida de constante bondade, para que dela manem somente as boas ações. E se vocês não fizerem alarde a respeito delas, então serão verdadeiramente sábios! E evidentemente, não se gabem de serem sábios e bons se vocês forem amargados, invejosos e egoístas; esse é o pior tipo de mentira. Porque a inveja e o egoísmo não são a espécie de sabedoria de Deus. Estas coisas são terrenas, materiais, inspiradas pelo diabo. Onde houver inveja ou ambições egoístas, aí haverá desordem e todas as outras espécies de mal. Entretanto, a sabedoria que vem do céu primeiro que tudo é pura e cheia de calma brandura. Depois, é amante da paz e cortês. Tolera o debate e está pronta a submeter-se aos outros; é repleta de misericórdia e de boas obras. É cordial, correta e sincera. E todos aqueles que são pacificadores plantarão sementes de paz e levantarão uma colheita de justiça.

A Submissão a Deus

4 O que está causando as discussões e as lutas entre vocês? Não é porque existe um exército inteiro de maus desejos dentro de vocês? Vocês querem o que não possuem, a tal ponto que matam para consegui-lo. Desejam o que os outros têm, e não podem adquirir, portanto começam a lutar para tomar deles. E contudo, a razão pela qual vocês não têm o que desejam é que não pedem a Deus. E mesmo quando pedem, não recebem, porque o objetivo de vocês está todo errado – vocês só querem o que dará prazer a vocês. Vocês são semelhantes a uma esposa infiel que ama os inimigos do marido. Vocês não percebem que fazer amigos entre os inimigos de Deus – os prazeres pecaminosos deste mundo – torna vocês inimigos de Deus? Eu volto a dizer que se o objetivo de vocês é desfrutar o prazer pecaminoso do mundo perdido, vocês não podem ser também amigos de Deus. Ou que acham vocês que as Escrituras querem dizer quando afirmam que o Espírito Santo, que Deus pôs em nós, vigia sobre nós com

terno ciúme? Mas Ele nos dá cada vez mais forças para resistir a todos esses maus desejos. Como dizem as Escrituras, Deus dá força ao humilde, mas se opõe ao orgulhoso e ao arrogante. Portanto, submetam-se humildemente a Deus. Resistam ao diabo e ele fugirá de vocês. E quando vocês se achegarem a Deus, Ele se achegará a vocês. Lavem as mãos, pecadores, e permitam que os seus corações se encham somente com Deus, a fim de torná-los puros e fiéis a Ele. Haja lágrimas pelas coisas erradas que vocês fizeram. Haja arrependimento e aflição sincera. Haja tristeza em vez de riso, e desgosto em vez de alegria. E então, quando vocês sentirem a sua indignidade diante do Senhor, Ele levantará, animará e ajudará vocês. Não se critiquem nem falem mal uns dos outros, queridos irmãos. Se vocês fizerem isso, estarão lutando contra a lei de Deus, que ordena amarem-se uns aos outros, e dizendo que ela está errada. Mas o que vocês têm a fazer não é resolver se esta lei está certa ou errada, e sim obedecer-lhe. Só aquele que fez a Lei é que pode julgar corretamente entre nós. Só Ele decide salvar-nos ou destruir-nos. Portanto, que direito têm vocês de julgar ou criticar os outros?

A Incerteza dos Planos Humanos

Prestem atenção, vocês que dizem: Hoje ou amanhã vamos a esta ou àquela cidade, ficaremos lá um ano, e exploraremos um negócio lucrativo. Como é que sabem o que vai acontecer amanhã? A duração das suas vidas é tão incerta quanto a neblina do amanhecer; agora se vê, mas logo se esvai! O que vocês devem dizer é: Se o Senhor quiser, viveremos e faremos isto ou aquilo. Caso contrário, vocês estarão vangloriando-se dos seus próprios planos, e uma presunção assim não agrada nunca a Deus. Lembrem-se também de que saber o que deve ser feito e não fazer é pecado.

1Pedro

1 De: Pedro, missionário de Jesus Cristo. Para: Os cristãos judeus expulsos de Jerusalém e espalhados pelo Ponto, Galácia, Capadócia, Ásia e Bitínia. Queridos amigos: Deus o Pai escolheu vocês há muito tempo e sabia que se tornariam seus filhos. E o Espírito Santo tem operado no coração de vocês, purificando-o com o sangue de Jesus Cristo e fazendo-os desejosos de agradar-lhe. Que Deus os abençoe ricamente e lhes conceda uma libertação cada vez maior de toda inquietação e temor. Toda a honra seja a Deus, o Deus e Pai do nosso Senhor Jesus Cristo; porque é a sua misericórdia ilimitada que nos deu o privilégio de nascer de novo, de maneira que agora nós já somos membros da própria família de Deus. E agora vivemos na esperança da vida eterna, porque Cristo levantou-se novamente dentre os mortos. E Deus reservou para os seus filhos o dom inestimável da vida eterna; este dom está guardado no céu para vocês, puro e imaculado, sem perigo de sofrer alteração ou de estragar-se. E Deus, em seu grandioso poder, garantirá que vocês cheguem até lá em segurança para recebê-lo, porque vocês estão confiando nele. Este dom lhes pertencerá naquele último dia vindouro, para que todos o vejam. Portanto, alegrem-se verdadeiramente! Há uma felicidade maravilhosa no futuro, embora durante algum tempo a caminhada aqui na terra seja tão dura. Estas

provações apenas põem à prova a fé que vocês têm, para verificar se ela é forte e pura ou não. Ela está sendo experimentada como o fogo prova o ouro e o purifica – e a fé que vocês têm é muito mais preciosa para Deus do que o simples ouro; portanto, se essa fé permanecer firme depois de ter estado no cadinho das provações ardentes, isto redundará em muito louvor, glória e honra para vocês no dia da sua volta.

Vocês o amam, embora nunca o tenham visto; ainda que não o vejam, confiem nele; e até mesmo agora vocês estão felizes com aquela alegria indizível que vem do próprio céu. E a recompensa final que vocês terão por haverem confiado nele será a salvação das suas almas. Esta salvação foi algo que os profetas não compreenderam inteiramente. Embora eles tenham escrito sobre ela, tinham muitas indagações a respeito do que tudo isso poderia significar. Queriam saber a respeito de que o Espírito de Cristo estava falando no seu íntimo, pois Ele lhes mandava escrever os fatos que, de lá para cá, têm acontecido com Cristo: seu sofrimento e sua grande glória depois disto. E eles queriam saber quando e a quem tudo isto iria acontecer. Finalmente, foi-lhes dito que estas coisas não aconteceriam no tempo deles, e sim muitos anos mais tarde, no tempo de vocês. E agora, por fim, esta Boa-Nova foi claramente anunciada a todos nós. Ela foi pregada a nós no poder do mesmo Espírito Santo enviado do céu que falou a eles; e tudo isto é tão notável e tão maravilhoso que até os anjos do céu dariam tudo para saber mais a respeito. Portanto, agora vocês podem aguardar com calma e inteligência uma porção maior da bondade de Deus para com vocês quando Jesus Cristo voltar. Obedeçam a Deus porque vocês são filhos dele; não voltem atrás aos seus velhos caminhos – a prática do mal – porque naquele tempo não conheciam nada melhor. Mas agora, sejam santos em tudo quanto fizerem tal como é santo o Senhor, que os convidou para serem seus filhos. O próprio Senhor disse: Vocês têm de ser santos, pois Eu sou santo. E lembrem-se de que seu Pai celestial, a quem vocês oram, não tem preferidos quando julga. Ele julgará vocês com perfeita justiça por tudo quanto fizerem; portanto, procedam com um respeitoso temor a Ele, desde agora até chegarem ao céu. Deus pagou um resgate para livrar vocês do insuportável caminho que seus pais tentaram seguir para chegar ao céu, e o resgate que Ele pagou não foi simplesmente ouro ou prata, como vocês sabem muito bem, mas Ele pagou por vocês o precioso sangue de Cristo, o Cordeiro de Deus sem pecado e sem mancha. Deus o escolheu para este propósito muito antes do princípio do mundo, mas só recentemente foi que Ele manifestou isto publicamente, nestes últimos dias, como uma bênção para vocês.

Por causa disto, vocês podem pôr sua confiança em Deus, que levantou a Cristo dentre os mortos e lhe deu grande glória. Agora, a fé e a esperança de vocês podem descansar somente nele. Agora vocês podem ter amor verdadeiro por todos, porque as almas de vocês foram purificadas do egoísmo e do ódio quando confiaram em Cristo, como seu salvador; portanto, procurem amar na verdade uns aos outros ardentemente, de todo coração. Porque vocês têm uma nova vida. Ela não foi transmitida a vocês por seus pais, pois a vida que eles lhes deram se desvanecerá. Esta vida nova durará para sempre, pois provém de Cristo, a mensagem sempre viva de Deus aos homens. Sim, a nossa vida natural murchará como a erva, quando fica toda amarelada e seca; e toda a nossa grandeza é como a flor que murcha e cai;

mas a Palavra do Senhor permanecerá para sempre. E a sua mensagem é a Boa-Nova que foi pregada a vocês.

2 Portanto, libertem-se dos seus sentimentos de ódio. Não se finjam de bons! Acabem com a falta de sinceridade e o ciúme, e parem de falar dos outros por trás. Se vocês já experimentaram a retidão e a bondade do Senhor clamem por mais, como um bebê chora por leite. Comam a Palavra de Deus – leiam-na, pensem nela – e cresçam fortes no Senhor. Cheguem-se a Cristo, que é o alicerce de rocha, vivo, sobre o qual Deus constrói; embora os homens o tenham rejeitado, Ele é muito precioso para Deus, que o escolheu acima de todos os outros. E agora vocês se tornaram pedras vivas de construção para Deus utilizar na edificação da sua casa. E o que é mais, vocês são seus sacerdotes santos; portanto, cheguem-se a Deus (vocês são aceitáveis a Ele por causa de Jesus Cristo), e ofereçam-lhe aquelas coisas de que Ele se agrada. Tal como as Escrituras declaram: Eis que Eu estou enviando Cristo para ser a preciosa pedra de esquina da minha igreja, cuidadosamente escolhida, e Eu nunca decepcionarei aqueles que confiam nele.

Sim, Ele é muito precioso para vocês, os que crêem; e para aqueles que o rejeitam, ora, a mesma pedra que foi rejeitada pelos construtores tornou-se a pedra de esquina, a parte mais honrosa e mais importante do edifício. E as Escrituras dizem também: "Ele é a pedra sobre a qual alguns tropeçarão, e a rocha que os fará cair". Eles tropeçarão porque não atenderão à palavra de Deus, nem lhe obedecerão, e, portanto, este castigo deverá vir como conseqüência: eles cairão. Mas vocês não são assim, pois foram escolhidos pelo próprio Deus – vocês são sacerdotes do Rei, são santos e puros, pertencem ao próprio Deus – tudo isto para que vocês possam mostrar aos outros como Deus os chamou da escuridão para a sua maravilhosa luz. Antes vocês eram menos do que nada; agora pertencem ao próprio Deus. Antes vocês sabiam muito pouco da bondade de Deus; agora a própria vida de vocês foi mudada por ela. Queridos irmãos, vocês são apenas visitantes aqui na terra. Visto que o seu verdadeiro lar está no céu, eu lhes suplico que se afastem dos prazeres malignos deste mundo; eles não são para vocês, pois lutam contra suas próprias almas. Tomem cuidado com o modo como vocês se comportam entre seus semelhantes não salvos; porque assim, mesmo que eles desconfiem e falem mal de vocês, acabarão louvando a Deus pelas boas obras de vocês, quando Cristo voltar. Pelo amor que vocês têm ao Senhor, obedeçam a todas as leis do governo: aquelas que são do rei, como chefe de Estado, e aquelas que são dos oficiais do rei, pois ele os enviou para castigar todos os que fazem o mal e louvar aqueles que fazem o bem. É da vontade de Deus que a vida correta de vocês faça calarem-se aqueles que insensatamente condenam o Evangelho sem saberem o que ele pode fazer por eles, pois nunca experimentaram o seu poder. Vocês estão livres da lei, porém isso não quer dizer que estão livres para fazer o mal. Vivam como aqueles que são livres para fazer somente a vontade de Deus em todas as ocasiões.

Mostrem respeito para com todos. Amem aos cristãos em toda parte. Temam a Deus e respeitem o governo. Servos, vocês devem respeitar seus senhores e fazer tudo o que eles mandarem; não apenas se eles forem bondosos e justos, mas até mesmo se forem rudes e cruéis. Louvem ao Senhor se vocês forem castigados por terem feito o que é direito! Naturalmente vocês não têm nenhum mérito em se conformarem se forem espancados por terem feito o mal; mas, se fizerem o bem e sofrerem debaixo das pancadas, Deus se agradará muito. Este sofrimento todo é uma parte da obra que Deus lhes deu. Cristo, que sofreu por vocês, é o seu exemplo. Sigam em seus passos: Ele nunca pecou, nunca disse uma mentira, nunca retrucou quando foi insultado; quando sofreu, não ameaçou para se vingar; deixou seu caso nas mãos de Deus, que sempre julga com justiça. Ele carregou pessoalmente o fardo dos nossos pecados em seu próprio corpo, quando morreu na cruz, a fim de que possamos morrer para o pecado e viver, daqui em diante, uma vida santa. Pois os seus ferimentos curaram os nossos! Tal como ovelhas, vocês venguearam longe de Deus, mas agora voltaram para o seu Pastor, o Guardião das suas almas, que os conserva a salvo de todos os ataques.

Deveres Conjugais

3 Esposas, acomodem-se aos planos de seus maridos; porque assim, se eles se recusarem a prestar atenção quando vocês lhes falarem a respeito do Senhor, serão ganhos pelo comportamento respeitoso e puro de vocês; a vida piedosa de vocês lhes falará melhor do que quaisquer palavras. Não se preocupem com a beleza exterior que depende de jóias, ou de roupas bonitas, ou de penteados. Sejam belas interiormente, em seus corações, com o encanto duradouro de um espírito amável e manso, que é tão precioso para Deus. Esse tipo de beleza interior foi o que se viu nas santas mulheres do passado, as quais confiavam em Deus e se acomodavam aos planos dos maridos.

Sara, por exemplo, obedecia ao seu esposo Abraão, respeitando-o como o cabeça da casa. E vocês, se fizerem o mesmo, estarão seguindo nos passos dela, como boas filhas, e fazendo o bem; assim vocês não precisarão ter medo (de ofender aos seus esposos). Vocês, maridos, devem ser cuidadosos com suas esposas, estando atentos às necessidades delas e respeitando-as como o sexo mais frágil; lembrem-se que vocês e suas esposas são companheiros em receber as bênçãos de Deus, e se não as tratarem como devem, as orações de vocês não terão uma resposta pronta. E agora, esta palavra a cada um: vocês devem ser como uma grande família feliz, cheios de simpatia uns pelos outros, amando-se uns aos outros, com corações ternos e mentes humildes. Não paguem mal por mal. Não retribuam àqueles que dizem coisas desairosas sobre vocês. Em vez disso, orem para que Deus ajude os tais, pois devemos ser bondosos para com os outros, e Deus nos abençoará por isso. Se vocês quiserem uma vida feliz e boa, mantenham domínio sobre a língua e guardem os lábios de dizerem mentiras. Desviem-se do mal e façam o bem. Procurem viver em paz, mesmo que tenham que correr atrás dela para agarrar e segurá-la! Pois o Senhor está observando seus filhos, atento às suas orações; mas o rosto do Senhor se endurece contra aqueles que fazem o mal. Geralmente ninguém lhes fará mal por vocês desejarem fazer o bem. Mas mesmo que façam, vocês devem ser invejados, pois Deus os recompensará por isto. Tranqüilamente entreguem-se aos cuidados de Cristo, seu Senhor, e se alguém perguntar por que vocês crêem assim, estejam preparados para contar-lhe, e façam-no de uma maneira amável e respeitosa. Façam o que é correto; se os homens falarem mal de vocês, e os difamarem, eles se envergonharão de si mesmos por tê-los acusado falsamente, quando vocês só fizeram o que é bom. Lembrem-se: se Deus quer que vocês sofram, é melhor sofrer por fazer o bem do que por fazer o mal! Cristo também sofreu. Ele morreu uma vez pelos pecados de todos nós, pecadores culpados, embora Ele mesmo estivesse inocente de qualquer pecado em qualquer tempo, para que pudesse levar-nos em segurança de volta a Deus. Mas, embora o seu corpo tivesse morrido, o seu espírito continuou vivendo, e foi no espírito que Ele visitou os espíritos em prisão, e pregou a eles – os espíritos daqueles que, muito tempo atrás, nos dias de Noé, tinham-se recusado a ouvir a Deus, embora Ele esperasse por eles com toda paciência enquanto Noé estava construindo a arca. Entretanto, apenas oito pessoas foram salvas de afogar-se naquele terrível dilúvio. (Isso, aliás, é o que o batismo retrata para nós: no batismo mostramos que fomos salvos da morte e da condenação pela ressurreição de Cristo; não porque nossos corpos são purificados pela lavagem com água, mas porque, ao ser batizados, estamos nos voltando para Deus e pedindo que Ele purifique os nossos corações do pecado.) E agora Cristo está no céu, sentado no lugar de honra junto a Deus o Pai, com todos os anjos e poderes do céu curvando-se diante dele e obedecendo-lhe.

Vivendo para Deus

4 Uma vez, que Cristo sofreu e suportou a dor, vocês devem ter a mesma atitude que Ele; devem estar prontos a sofrer também. Lembrem-se: quando os seus corpos sofrem, o pecado perde o seu poder, e vocês não estarão gastando o resto das suas vidas andando atrás de desejos malignos, mas estarão preocupados em fazer a vontade de Deus. No passado vocês já andaram bastante nas coisas pecaminosas que os ímpios apreciam e que levam a outros pecados terríveis – o pecado do sexo, a imoralidade, a embriaguez, as orgias, as bebedeiras e a adoração dos ídolos. Naturalmente seus velhos amigos ficarão muito admirados quando vocês não tiverem mais ansiedade de se juntarem a eles para as coisas pecaminosas que eles fazem, e se rirão de vocês com desdém e escárnio. Entretanto, lembrem-se apenas de que eles terão de enfrentar o Juiz de todos, dos vivos e dos mortos; e eles serão castigados pela maneira como têm vivido. É por isto que a Boa-Nova foi pregada até mesmo àqueles que estavam mortos – que morreram no dilúvio – para que, embora seus corpos tenham sido castigados com a morte, eles ainda pudessem viver em seus espíritos, como Deus vive. O fim do mundo chegará logo. Portanto, sejam homens de oração, fervorosos e diligentes. O mais importante de tudo é continuarem a mostrar um profundo amor uns pelos outros, pois o amor compensa muitas das faltas de vocês. Abram de bom grado os seus lares para aqueles que necessitarem de uma refeição ou de um lugar para passar a noite. Deus deu a cada um de vocês algumas capacidades especiais; estejam certos de as estarem utilizando para se ajudarem mutuamente, transmitindo aos outros as muitas espécies de bênçãos de Deus. Você é chamado para pregar? Então pregue como se o próprio Deus estivesse falando através de você. Você é chamado para ajudar aos outros? Faça-o com todas as forças e a energia que Deus lhe concede, a fim de que Deus seja glorificado por meio de Jesus Cristo – a Ele seja a glória e o poder para todo o sempre. Amém. Queridos amigos, não se assustem nem se admirem quando vocês passarem pelas provas ardentes que estão para vir, pois isto não é coisa estranha e nem fora do comum que lhes vai acontecer. Pelo contrário,

alegrem-se verdadeiramente, pois estas provações transformarão vocês em companheiros de Cristo no seu sofrimento, e depois terão a maravilhosa alegria de participarem da sua glória naquele dia vindouro quando ela será manifestada. Alegrem-se se vocês forem amaldiçoados e insultados por serem cristãos, pois, quando isso acontecer, o Espírito de Deus virá sobre vocês com grande glória. Não quero ouvir falar de vocês sofrerem por cometer assassinato, ou roubar, ou fazer desordem, ou por serem abelhudos e se intrometerem nos negócios dos outros. Mas não é vergonha nenhuma sofrer por ser cristão. Dêem graças a Deus pelo privilégio de estarem na família de Cristo e serem chamados pelo seu nome maravilhoso! Porque a hora do julgamento chegou, e deve começar primeiro entre os próprios filhos de Deus. E se até mesmo nós, que somos cristãos, devemos ser julgados, qual será o destino terrível que aguarda aqueles que nunca creram no Senhor? Se os justos se salvam com dificuldade, que oportunidade terão os ímpios? Portanto, se vocês estiverem sofrendo segundo a vontade divina, continuem a fazer o que é direito e entreguem-se aos cuidados do Deus que criou vocês, pois Ele nunca faltará.

1Coríntios

A Ressurreição de Cristo

15 Agora quero lembrar a vocês, irmãos, aquilo que o Evangelho é na realidade, porquanto ele não mudou – é a mesma Boa-Nova que eu lhes preguei antes. Vocês o receberam bem e ainda o recebem agora, pois sua fé está solidamente edificada sobre esta maravilhosa mensagem. E é esta a Boa-Nova que os salva se vocês ainda crerem firmemente nela, a não ser, naturalmente, que vocês não tenham crido nela realmente desde a primeira vez. Eu lhes transmiti desde o início o que me foi dito, isto é, que Cristo morreu por nossos pecados, tal como as Escrituras disseram que Ele morreria, e que foi sepultado, e que três dias depois disso levantou-se do túmulo, tal como os profetas tinham predito. Ele foi visto por Pedro e mais tarde pelo resto dos Doze. Depois disso, Ele foi visto por mais de quinhentos irmãos cristãos duma vez, muitos dos quais ainda estão vivos, embora alguns já tenham morrido agora. Depois, foi Tiago quem o viu e mais tarde todos os apóstolos. Por último de todos eu também o vi, bem depois dos outros, como se eu quase tivesse nascido tarde demais para isso. Porque eu sou o menos merecedor de todos os apóstolos, nem deveria ser chamado apóstolo pela maneira como tratei a igreja de Deus. Entretanto, o que eu sou agora, é tudo porque Deus derramou grande bondade e graça sobre mim – e não sem resultados: pois eu tenho trabalhado mais arduamente do que todos os outros apóstolos, embora não fosse eu que efetivamente o estivesse fazendo, mas sim Deus operando em mim, para me abençoar. Não faz diferença alguma quem trabalhou mais arduamente, se eu ou eles; o importante é que nós pregamos o Evangelho a vocês, e vocês creram nele.

A Ressurreição dentre os Mortos

Mas, digam-me uma coisa! Já que vocês creram no que nós pregamos, isto é, que Cristo se levantou dentre os mortos, por que alguns de vocês andam dizendo que os mortos nunca voltarão a viver outra vez? Pois, se não há ressurreição dos mortos, então Cristo deve estar morto ainda. E, se Ele ainda está morto, então toda a nossa pregação é inútil, e a confiança de vocês em Deus é vazia, sem valor, sem esperança. E nós, os apóstolos, somos todos uns mentirosos, porque dissemos que Deus levantou Cristo do túmulo, e isto logicamente não é verdade, se os mortos não voltam novamente à vida. Se eles não voltam, então Cristo ainda está morto, e vocês são muito tolos, se continuam a confiar que Deus os salva, pois ainda estão sob condenação devido aos seus pecados; nesse caso, todos os cristãos que já morreram estão perdidos! E, se o fato de sermos cristãos só tem valor para nós nesta vida, então somos as criaturas mais infelizes. Mas o fato é que Cristo realmente ressuscitou dentre os mortos e tornou-se o primeiro entre milhões que algum dia voltarão novamente à vida. A morte veio ao mundo por causa do que um homem (Adão) fez, e é devido àquilo que este outro homem (Cristo) fez que agora existe a ressurreição dos mortos. Todo mundo morre, porque todos nós somos parentes de Adão, membros de sua raça pecadora e, onde quer que haja pecado, o resultado é a morte. Contudo, todos quantos são parentes de Cristo novamente ressuscitarão. Cada um, entretanto, por sua vez: Cristo levantou-se primeiro; depois, quando Cristo voltar, todo o seu povo viverá de novo. Depois disso virá o fim, quando Ele devolverá o reino a Deus, o Pai, depois de derrubar todos os inimigos de qualquer espécie. Porque Cristo será Rei até que tenha derrotado todos os seus inimigos. Incluindo o último inimigo – a morte. Esta também precisa ser derrotada e exterminada. Porque o domínio e a autoridade sobre todas as coisas foram dados a Cristo por seu Pai; exceto, naturalmente, que Cristo não domina sobre o próprio Pai, que lhe deu este poder de dominar. Quando Cristo finalmente tiver ganho a batalha contra todos os seus inimigos, então Ele, o Filho de Deus, também se colocará sob as ordens do seu Pai, a fim de que Deus, que lhe deu a vitória sobre todas as coisas, seja absolutamente supremo. Se os mortos não voltarão à vida novamente, que razão há, então, para que a gente se batize em lugar daqueles que já se foram? Por que fazer isso, a não ser que creiamos que os mortos ressurgirão algum dia? E por que devemos nós mesmos estar arriscando continuamente nossas vidas, enfrentando a morte a cada instante? Pois é um fato que eu enfrento a morte diariamente; isso é tão verdadeiro quanto o meu orgulho em ver o crescimento de vocês no Senhor. E que vantagem há em lutar contra os animais selvagens, aqueles homens de Éfeso, se é somente pelo que eu ganho nesta vida aqui na terra? Se nós nunca mais viveremos depois que morrermos, então podemos perfeitamente nos divertir à vontade: vamos comer, e beber, e alegrar-nos. Que diferença faz? Pois amanhã morreremos, e isso acaba tudo! Não se deixem enganar por aqueles que dizem tais coisas. Se vocês os escutarem começarão a proceder como eles. Tomem juízo e deixem de pecar. Para sua vergonha eu lhes digo que alguns de vocês, afinal de contas, não são nem mesmo cristãos, e nunca realmente conheceram a Deus.

O Corpo Ressurreto

Alguém, entretanto, poderá perguntar: Como é que os mortos serão trazidos novamente à vida? Que tipo de corpo terão eles? Não façam essas perguntas tolas! Vocês encontrarão a resposta em seu próprio quintal! Quando se enterra uma semente no chão, ela não se transforma numa planta, a não ser que morra primeiro. E quando o rebento verde surge

da semente, é bem diverso da semente que primeiramente se plantou. Tudo o que se enterra no chão é uma sementinha seca de trigo ou de qualquer coisa que se está plantando. Deus, então, lhe dá um corpo novo bem bonito – exatamente a espécie que Ele deseja que ela tenha; e uma espécie diferente de planta cresce de cada espécie de semente. Tal como há tipos diferentes de sementes e plantas, assim também existem tipos diferentes de carne. Os homens, os animais, os peixes e os pássaros, são todos diferentes. Os anjos do céu têm corpos bem diversos dos nossos. E a beleza e a glória de seus corpos são diferentes da beleza e da glória de nossos corpos. O sol tem uma espécie de glória, enquanto a lua e as estrelas têm outra espécie. E as estrelas diferem umas das outras em sua beleza e seu brilho. De igual modo nossos corpos terrenos, que morrem e apodrecem, são diferentes dos corpos que teremos quando voltarmos novamente à vida, pois estes nunca morrerão. Os corpos que agora possuímos causam-nos tropeço, pois ficam doentes e morrem; entretanto, estarão cheios de glória quando voltarmos à vida novamente. Sim, são fracos, porque agora são corpos mortais, mas quando revivermos, eles estarão cheios de força. Quando morrem são apenas corpos humanos, porém, quando voltarem à vida, serão corpos sobre-humanos. Como existem corpos naturais, humanos, assim também há corpos sobrenaturais, espirituais. As Escrituras nos dizem que o primeiro homem, Adão, recebeu um corpo humano natural, mas Cristo é mais do que isso, pois Ele era o Espírito vivificante. Nós temos primeiramente estes corpos humanos e mais tarde Deus nos dará corpos espirituais, do céu. Adão foi feito do pó da terra, mas Cristo veio lá do céu. Todo ser humano tem um corpo exatamente como o de Adão, feito do pó, mas todos quantos passam a pertencer a Cristo terão o mesmo tipo de corpo que Ele – um corpo celestial. Tal como cada um de nós tem agora um corpo igual ao de Adão, assim também algum dia teremos um corpo igual ao de Cristo. Digo-lhes isto, meus irmãos: um corpo terreno, feito de carne e sangue, não pode entrar no reino de Deus. Estes nossos corpos mortais não são do tipo adequado para viver eternamente. Contudo, eu lhes estou contando este segredo estranho e maravilhoso: nem todos morreremos, porém todos receberemos novos corpos! Tudo acontecerá num instante, num piscar de olhos, quando for tocada a última trombeta. Porque virá do céu um toque de trombeta, e todos os cristãos que já morreram, de repente voltarão à vida com novos corpos que nunca, jamais morrerão; e, então, nós que ainda estivermos vivos, também receberemos, de súbito, novos corpos. Porque os nossos corpos terrenos, os que temos agora e que são mortais, precisam ser transformados em corpos celestiais, que não podem perecer, mas viverão para todo o sempre. Quando isso acontecer, finalmente, se tornará verdadeira esta Escritura: A morte foi tragada na vitória. Ó morte, onde está agora a sua vitória? Onde está o seu aguilhão? Porque o pecado, – o aguilhão que causa a morte – terá desaparecido completamente; e a lei, que revela os nossos pecados, já não será o nosso juiz. Como agradecemos a Deus por tudo isto! É ele quem nos faz vitoriosos por meio de Jesus Cristo, nosso Senhor! Portanto, meus queridos irmãos, já que é certa a vitória futura, sejam fortes e firmes, sempre produzindo muito no trabalho do Senhor, pois vocês sabem que nada do que vocês fazem para o Senhor é desperdiçado, como aconteceria se não houvesse ressurreição.

O Filho Perdido

Lucas 15:11-32

Um homem tinha dois filhos. Quando o mais novo disse ao pai: Eu quero agora a minha parte da herança, em lugar de esperar até que o senhor morra!, o pai concordou em dividir a fortuna entre os filhos. Poucos dias depois este filho mais novo juntou toda a parte dele, viajou para uma terra distante, e ali gastou todo o dinheiro com festas e prostitutas. Quando o dinheiro dele acabou, uma grande fome espalhou-se sobre a terra, e ele começou a passar necessidade. Foi então a um fazendeiro local pedir para trabalhar na fazenda, cuidando dos porcos. O rapaz andava com tanta fome que desejava encher seu estômago com os legumes que jogava aos porcos, mas ninguém deixou. Quando ele finalmente voltou ao seu juízo, disse consigo mesmo: Lá em casa até os empregados têm comida de sobra, e aqui estou eu, morrendo de fome! Eu vou para casa, junto do meu pai, e lhe direi: Pai, eu pequei, tanto contra o céu como contra o senhor. E já não mereço ser chamado seu filho. Por favor, quero ser seu empregado. Então ele voltou para casa, para junto de seu pai. E quando ainda estava a uma grande distância, o pai viu que ele vinha e ficou cheio de compaixão e de alegria! Correu, abraçou e beijou o filho. O rapaz disse: Papai, eu pequei contra o céu e contra o senhor, e não mereço ser chamado seu filho. Mas o pai disse aos escravos: 'Depressa! Tragam a roupa mais bonita e rica da casa para vestir nele. Um anel de pedras preciosas e sapatos! Matem o melhor bezerro que temos. Precisamos fazer uma festa, para comemorar nossa alegria.

Porque este meu filho estava morto e voltou à vida. Estava perdido e foi achado.

Com isto começou a festa. Mas o filho mais velho estava nos campos trabalhando; quando ele voltava para casa, ouviu a música das danças e perguntou a um dos criados o que estava acontecendo. Seu irmão voltou, contou ele, e o seu pai matou o melhor bezerro e preparou uma grande festa para comemorar a volta dele ao lar com saúde. O filho mais velho ficou zangado e não queria entrar. O pai saiu e insistiu com ele. Porém ele respondeu: Estes anos todos eu tenho trabalhado bastante para o senhor, e nunca me recusei, nenhuma vez, a fazer uma só coisa que o senhor me mandou; e em todo este tempo o senhor nunca me deu nem mesmo um cabrito para uma festa com os meus amigos. Já quando volta este seu filho, depois de gastar o dinheiro do senhor com prostitutas, o senhor comemora matando o melhor bezerro que temos na fazenda! Olhe, meu filho querido, disse-lhe o pai, eu e você somos muito amigos e tudo o que tenho é seu. Porém é justo comemorarmos, pois ele é o seu irmão;

Estava morto e voltou a viver! Estava perdido e foi achado!